彩图版

糖尿病

自我防治手册

不生病的生活智慧　最新实效治疗法

（日）带津良一　川上正舒◎著

张　军◎译

辽宁科学技术出版社

·沈阳·

前言

改善糖尿病，享受优质生活

罹患糖尿病后，如果持续处于血糖值较高的状态，血管和神经就会逐渐产生障碍，从而诱发各种各样的并发症。

但是，如果能够改掉偏食、运动不足、精神压力大等不良习惯和生活状态，并采用适当的药物治疗，血糖值就能够得到控制，从而防止并发症的发生。而且，改掉上述的不良生活方式并不断地进行改善，人的整体健康——精神、身体、心态就能得到适当的调整，在各方面均能获得最佳的生活品质。

本书将向您介绍达到这一目的的方法和知识。

不懈的努力一定会获得丰硕的成果。衷心地希望大家不要放弃，也不要掉以轻心，巧妙地应对糖尿病，不仅会使自己身体健康，而且还能在改善心态、人际关系等方面有很大帮助。

日本带津三敬病院名誉院长　**带津良一**

学会自我控制，让身心更健康

在糖尿病的治疗方面，控制血糖值以及防止并发症的发生是非常重要的课题。

为此，保证饮食的营养均衡、吃七分饱、适当运动、减轻压力、戒烟等自我管理非常必要。另外，每天都要检查自己的健康状况，同时，通过定期进行内科和眼科等方面的检查来了解自己是否出现并发症也尤为重要。

这些做法需要您持续坚持下去。乍一看来似乎很难做到，但是，这样做有助于预防和改善动脉硬化和高血压等生活常见病。而且，您只有在有节制的生活中，才能真正地感受到饮食的乐趣以及身体活动所带来的愉悦，并使自己的身心更健康。

希望患者不要消极地看待糖尿病，要将其作为使自己未来生活变得更为充实的一个契机来加以利用。

本书将向您介绍正确、合理地对待糖尿病的饮食、运动、减轻压力的方法等生活智慧。如果大家能在接受医生和营养师的建议与忠告的同时，以这些生活智慧为参考，从而使自己的身体更健康，那么，本人将不胜荣幸。

日本自治医科大学附属琦玉医疗中心主任　川上正舒

目录

苹果形

洋梨形

上身肥胖
与生活常见病的关系密切

下身肥胖
与生活常见病的关系不大

第3章　预防、改善糖尿病的饮食方法··········43

如何改善肥胖状况

如何利用饮食来改善生活质量

专栏 饮食养生的智慧③

第4章 糖尿病的运动疗法

运动是一剂良药

向您推荐的运动

消除导致血糖上升的其他诱因

没有烟臭
味儿了耶

糖尿病治疗过程中的注意事项

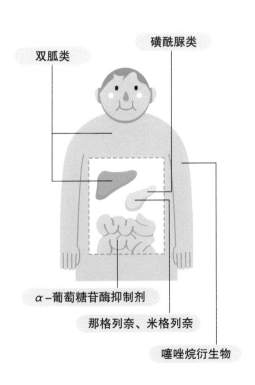

双胍类

磺酰脲类

α–葡萄糖苷酶抑制剂

那格列奈、米格列奈

噻唑烷衍生物

如果健康状况不佳，身体就会发出信号

 首先，要理解该信号的含义

然后，使自己的饮食、生活有规律，培养运动习惯

 进一步提高免疫力

 倾听来自身体的声音

第1章

您是否患有糖尿病

　　身体倦怠、容易疲劳、食欲不振、体重异常、易口渴等，您是否有这些症状？这些都是糖尿病的初期症状，但人们大多不会自我察觉到，有近半数的人是在发现自己患了糖尿病之后，才对这些症状有所察觉。

　　那些在血亲中有糖尿病患者或者有肥胖趋势的人，一定要仔细观察自己的身体状况，检查是否有自觉症状的出现，及时把握进行早期治疗。

糖尿病的自我检查

关注身体的健康信号

当体内发生某种异变时，我们会觉察到某些症状的出现。糖尿病当然也不例外，如下图所示，它会出现各种各样的自觉症状。

有人认为"身体并没有出现异常，没什么大不了"而高枕无忧，这是一种非常大意的想法。因为在糖尿病的初期几乎不会出现自觉症状，大多数的症状是在病情加重、恶化时才出现的。实际上，虽无自觉症状，但糖尿病出现恶化的状况却时有发生。

您是否有这些症状？

糖尿病加重后，自觉症状会很明显。

1 频频去厕所，尿量比平时多

2 过分地口渴

3 虽然饭量很大，但很容易饿

4 饮食量虽然没有变化，但体重减轻了

5 感觉尿液有甜味

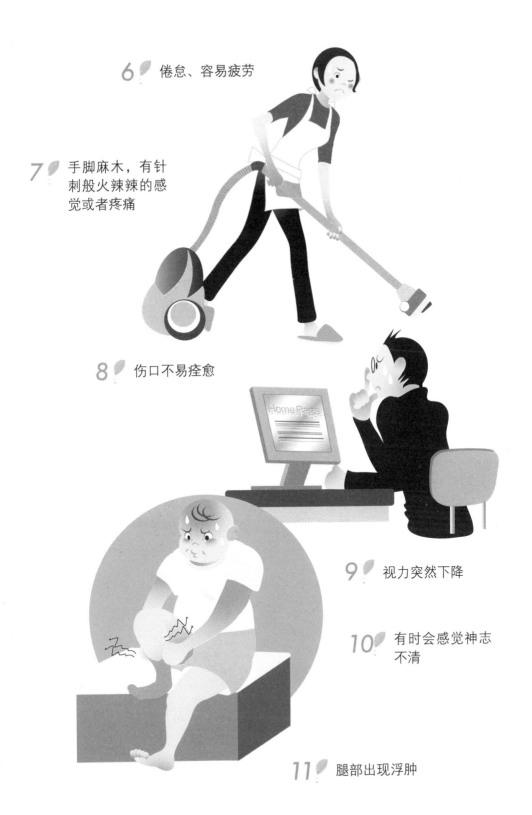

6 倦怠、容易疲劳

7 手脚麻木，有针刺般火辣辣的感觉或者疼痛

8 伤口不易痊愈

9 视力突然下降

10 有时会感觉神志不清

11 腿部出现浮肿

您的体形是"苹果形"还是"洋梨形"

肥胖是糖尿病的危险因素之一，您是否处于肥胖的状态？

是否肥胖可利用BMI（身体质量指数）来判定，利用计算公式所得的数值来判定肥胖度。如果数值超过25，就是肥胖。其次，体形也是判定肥胖的标准之一，所以对体形也要进行检查。

肥胖分为"苹果形肥胖"和"洋梨形肥胖"两种，主要取决于脂肪所蓄积的部位。

您是"苹果形肥胖"还是"洋梨形肥胖"？

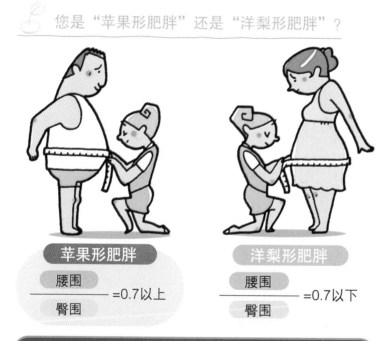

苹果形肥胖

$$\frac{腰围}{臀围}=0.7以上$$

洋梨形肥胖

$$\frac{腰围}{臀围}=0.7以下$$

肥胖程度的检查

计算公式　BMI=体重(kg)÷身高(m)÷身高(m)
标准体重=身高(m)×身高(m)×22

可利用BMI（Body Mass Index=身体质量指数）来判定自己是否肥胖。标准体重的BMI值为22。

"苹果形肥胖"又称"上身肥胖",其特征是脂肪蓄积在腹部,多见于男性。而女性多为洋梨形肥胖,其特征是下腹部和臀部等下半身臃肿。

洋梨形肥胖与糖尿病等生活常见病的关系不大,可以不必过于担心。需要注意的是苹果形肥胖。

苹果形肥胖很可能是"内脏脂肪"过量蓄积在腹部的内脏周围所造成的。我们将内脏脂肪过剩蓄积的状态称作"内脏脂肪形肥胖",它才是与糖尿病等生活常见病密切相关的肥胖。

顺便说一句,是否是苹果形肥胖,可如上页所示,利用腰围和臀围来判定。另外,在脐部所测的腹围,如果男性超过85cm,女性超过90cm,则为苹果形肥胖。认为与自己形体尺寸相符的人应该想办法减肥了。

苹果形

洋梨形

上身肥胖

与生活常见病的关系密切

下身肥胖

与生活常见病的关系不大

肥胖的判定标准

BMI	分类
<18.5	低体重(营养不良)
18.5~22.9	正常范围
23.0~24.9	超重
25.0~29.9	Ⅰ级肥胖
30.0~39.9	Ⅱ级肥胖
≥40.0	Ⅲ级肥胖

肥胖以外的危险因素

除了肥胖，导致糖尿病的危险因素还有很多。

例如遗传性因素。很久以来，我们就知道，如果家人、亲属（3代以内）中有糖尿病患者，那么，本人亦容易患上糖尿病。近年来，随着有关遗传基因研究的进展，有报告显示糖尿病还与很多候选基因有关。

糖尿病的危险因素

除了肥胖，导致糖尿病的危险因素还有很多。

1 **遗传性因素**

家人、亲属（3代以内）中有糖尿病患者

2 **运动不足**

平时几乎不怎么走路或者在休息日、8小时工作时间以外没有运动习惯的人很容易出现肥胖

3 **摄取的热量过多**

进食过量，尤其是肉类、油脂类食物的过量摄取易导致糖尿病

但是，即便自己的家人、亲属中有糖尿病患者，也有很多人并没有因此患上糖尿病。

另外，有的人尽管具有相同的遗传性因素，但居住环境的不同，患上糖尿病的几率也不一样。

由此可以认为，导致糖尿病发病的不仅仅是遗传性因素，各种各样的生活习惯也会产生很大的影响。也就是说，遗传性因素与不良的生活习惯加上环境因素，导致了糖尿病。

与糖尿病发病有关的生活习惯是运动不足、饮食偏好、吸烟、饮酒、精神压力大等等。这些危险因素越多，糖尿病的发病危险度就会越高。

因此，要认真检查一下自己所处的环境或生活方式是否存在很多导致糖尿病的危险因素。如果有多项危险因素存在，一定要加以注意。

4 吸烟

吸烟会促进内脏脂肪的蓄积

5 饮酒

很多报告显示，有过量饮酒习惯的人容易患上糖尿病

6 精神性压力

压力会使血糖值上升，还容易导致暴饮暴食

代谢综合征与糖尿病的关系

代谢综合征指的是在内脏脂肪蓄积的基础上，高血糖值※、高血压、血中脂质异常（高甘油三酯※）或有助于防止动脉硬化的HDL（高密度脂蛋白胆固醇※）低下等多种代谢成分异常增高的病理状态。

患有代谢综合征后，会增加动脉硬化、心肌梗死※和脑卒中※等疾病的发生率。但是，问题还不仅仅局限于此。

代谢综合征是"只差一步就是糖尿病"的状态。也就是说，它很可能是糖尿病的前兆，如果对其放任不管，就会导致糖尿病。此时，有必要进行体检，并将有关检查数据与第23页的"代谢综合征的诊断标准"进行比对。如果有相符的地方，就需要改善进食过量、运动不足等生活

习惯，减少代谢综合征的"肇事者"——内脏脂肪。可能的话，应到医疗机构就诊，检查餐后的血糖值。

代谢综合征的诊断标准采用的是在空腹状态下所测的血糖值（空腹血糖值），体检时做的也是空腹血糖测量。但是，在发展至糖尿病的过程中，病人早期出现异常的大多是"餐后高血糖"。

有可能在体检中测量的空腹血糖值正常，有时却会出现餐后血糖值较高的状况。如果您只看重体检的数值，有可能会延误对糖尿病的准确判断。

 检查代谢综合征

在以下标准中，不仅有"必要项目"，并且在"选择项目"中有2项以上与自己相符时，即可判定为代谢综合征。

代谢综合征的诊断标准

必要项目

脐部所测腹围，男性超过85cm，女性超过90cm

选择项目

以下3项中，有2项以上时：

❶ 甘油三酯值高于8.33mmol/L，或HDL（好胆固醇）高密度脂蛋白胆固醇值低于2.22mmol/L

❷ 收缩压高于130mmHg，或舒张压高于85mmHg

❸ 空腹时血糖值超过6.11mmol/L

专栏

圆葱的功效

圆葱是我们在市场上很容易买到的蔬菜。在切圆葱的时候，我们的眼睛和鼻子受到刺激后会流泪，这是圆葱所含的一种叫做"异蒜氨酸"的硫化物散逸到空气中所致。圆葱辣味之源异蒜氨酸具有很多功效，生吃圆葱，会促进血液中的糖代谢，具有降低血糖值的功能，所以，担心血糖值高的人要尽量将圆葱摆到每天的餐桌上。

在圆葱上面撒上干制鲣鱼，然后拌上生姜泥和柚子醋，即可做出一道美味的菜肴，如果觉得这些还略显不足时，也可将圆葱放在豆腐或色拉上面做佐菜。

另外，想增加自己体力的时候，也可以将圆葱与含丰富维生素B_1的猪肉一起食用。若要品味圆葱的原味，也可以用涮火锅等较为清淡的烹饪方法来食用圆葱，它还可以消除人体内多余的脂肪，可谓是一举多得。

●推荐食用方法

❶将圆葱切成细丝

❷受不了圆葱辣味的人，可将圆葱用水浸泡一下

※由于其所含水溶性维生素会溶到水中，所以，在水中浸泡的时间要尽量短一些。

圆葱的其他功效

●生吃圆葱，"异蒜氨酸"的辣味成分会降低血糖值；加热食用，辣味成分会转变成甜味，具有减低甘油三酯和胆固醇的功能。无论是生吃还是做熟了吃都具有保健效果，希望大家积极食用。

●圆葱的表皮含有抗氧化成分"槲皮素"。该成分具有延迟血液凝固的功能，可有效预防高血压。饮用圆葱皮煎熬出的汁液对预防高血压也颇为有效。

第2章

正确认识糖尿病

　　糖尿病到底是一种什么样的疾病？您有所了解吗？虽然糖尿病本身不会致人死亡，但是，如果对其置之不理，就会导致可怕的并发症。

　　若要预防并发症的发生，在早期就要使用适当的饮食疗法和运动疗法对血糖进行良好的控制。

　　如果早期治疗得当，糖尿病就可以得到很好改善，病症即可痊愈。因此，不要恐慌，要加深对糖尿病的正确了解。

关于糖尿病的知识

您对糖尿病是否有误解

　　若要正确对待糖尿病，首先要正确认识和理解它，这一点非常重要。但是，有很多人对糖尿病抱有很多的误解。您是否具备有关糖尿病的正确认识？让我们通过以下问题来检验一下吧！

Q 糖尿病是尿中含糖的疾病？

A ✕

尿 ＋ 糖分 ＝ 糖尿病

糖尿病知识小测试

以下列举出容易对糖尿病产生误解的有关事项。

解说 糖尿病虽然有时会出现血液中过剩的糖渗漏到尿液中的现象，但是，有时即使在尿液中含糖也不一定是糖尿病。反过来说，非糖尿病因素也会造成尿液中含糖。

Q 如果甜的东西摄取过量会导致糖尿病?

A ✗

解说 甜的东西虽然会使血糖值上升，但糖尿病的致病原因并不仅仅如此。事实上，人们认为糖尿病的发病与脂肪的摄取量密切相关（从世界范围看，越是脂肪摄取量越多的人群，糖尿病的发病率越高）。

Q 糖尿病会遗传?

A √

解说 有报告显示，父母中的一方或祖父母中有糖尿病患者的人更容易罹患糖尿病。当然，这种情况也有未患上糖尿病的人。

遗传……

Q 瘦人不会得糖尿病?

A ✕

解说 与瘦人相比, 肥胖者罹患糖尿病的风险较大。但是, 很多糖尿病患者并不肥胖, 有时即便是瘦人也会发病。

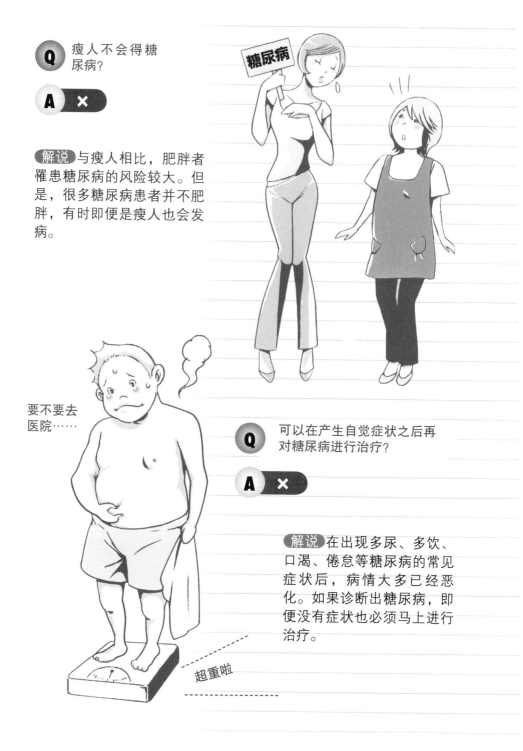

要不要去医院……

Q 可以在产生自觉症状之后再对糖尿病进行治疗?

A ✕

解说 在出现多尿、多饮、口渴、倦怠等糖尿病的常见症状后, 病情大多已经恶化。如果诊断出糖尿病, 即便没有症状也必须马上进行治疗。

超重啦

Q 糖尿病发病后，不注射胰岛素※，症状就不会得到改善？

A ❌

解说 如果是糖尿病的初期阶段，使用饮食疗法和运动疗法等方式可以将血糖值控制到与健康者几乎相同的程度。另外，也可以采用口服药物进行治疗。

Q 1次进食量少一些，进食的次数越多越好？

A ❌

不可以！刚才不是吃过了吗？

解说 血糖值虽然会在餐后有所上升，但胰脏分泌的胰岛素会降低血糖值。如果进食的次数较多，胰脏会得不到充分的休息。虽然进食量少一些是有益的，但进食的次数太多却是不利的。重要的是每天的饮食要有规律。

如何确诊糖尿病

通过2次检查才能确诊

汽车是靠燃烧汽油来行驶的。与此类似，我们人类主要是以血液中的葡萄糖即血糖为"燃料"来进行各种各样的活动的。

血糖来自于饮食所摄取的碳水化合物（糖质）。因此，血糖值虽然在餐后会有所上升，但是血糖如果被作为燃料使用后，血糖值就会降低。

不过，一般情况下血糖值是在一定的范围内变动的。健康者的最低血

 糖尿病的诊断流程

初次血糖检查

与下面项目中的任何一项相符时，可判定为"糖尿病型" ★

1 早晨空腹血糖值超过7.0mmol/L

2 75gOGTT(口服葡萄糖耐量试验)的两小时值超过11.1mmol/L

3 随时血糖值超过11.1mmol/L

★早晨空腹血糖值低于7.0mmol/L或75gOGTT的2小时值为7.8mmol/L以下时，判定为"正常型"。既不是"糖尿病型"也不是"正常型"的为"临界型"，需要进行观察。

如果没有相符项目，那么，进行第2次检查……

判定为"糖尿病型"后，如果与下面项目中的任何一项相符，可确诊为"糖尿病"

- 出现口渴、多饮、多尿、体重减轻等症状
- HbA1c（糖化血红蛋白，详见本书第160页）超过6.5%
- 出现糖尿病视网膜病变（见第34页）
- 过去有检查数据显示为"糖尿病型"

糖值出现在即将进餐之前，约3.9mmol/L，餐后约低于7.8mmol/L，如果血糖值较高的状态在此范围之外持续存在，即为糖尿病。

但是，血糖值始终是变动的。仅1次检测为血糖值高，是不能确诊为糖尿病的。除非具有其他可明确判断为糖尿病的佐证，例如出现明显的糖尿病典型症状或并发症（第32~36页）等。通常情况下，需要在医院进行第2次检查（两次检查不在同一天），只有在初次和第2次的检查中均确认为持续高血糖的状态，才可诊断为糖尿病。

第2次血糖检查

再次确认为"糖尿病型"

诊断为"糖尿病"

※ 在第2次检查中未被确认为"糖尿病型"时，以"临界型"的标准进行处理（需要观察）。

糖尿病导致的并发症

糖尿病与心肌梗死、脑梗死的关系

如果糖尿病患者长期持续高血糖的状态，会损伤血管，造成血流恶化，导致各种各样的并发症。

提起糖尿病的并发症，最常见的是将在本书第34～36页中介绍的糖尿病视网膜病变、糖尿病肾病、糖尿病神经病变，这些疾病均是细小血管（细动脉和毛细血管等）损伤所致。但是，受损的不仅是细小血管，粗动脉也会受伤。

我们将因粗动脉伤损导致的并发症称作"大血管病变"。典型的疾病是胆固醇等蓄积在血管壁的伤损处，从而造成血管内腔狭窄或变脆的动脉硬化[※]。

动脉硬化加剧后，动脉会出现堵塞，造成血流的中断，一些组织就会因得不到血液供给而坏死。

脑内动脉出现这种现象后就会导致脑梗死[※]。如果发生在冠状动脉（为心肌输送血液），就会导致心肌梗死。

或许是因为在糖尿病初期并不会出现自觉症状，所以有人即使听到心肌梗死、脑梗死这些词汇也无动于衷。但是，与非糖尿病患者相比，糖尿病患者更容易罹患脑梗死，发病率是他的2～3倍，而心肌梗死的发病率更是他的2～4倍。这并不是危言耸听，但许多糖尿病患者却不了解这一重要的事实。

当然，如果能够很好地控制血糖值，这些症状还是可以得到避免的，患者不可自暴自弃。不过，绝对不可以因此而轻视糖尿病，适度的了解和耐心的治疗是非常必要的。

动脉硬化是如何产生的

外膜　中膜

糖尿病

血管内皮细胞　内膜

动脉硬化加剧后

血管的内腔变窄

胆固醇蓄积在血管壁上，
发生膨胀、挤压

血栓（血液凝块）
附着下来

进一步加剧

闭塞

血管壁进一步膨胀、挤压，血栓堵塞在一些变得狭窄的部位，从而引起闭塞

糖尿病视网膜病变

我们把眼睛中起到类似照相机胶卷作用的部分称作视网膜。视网膜为了能够始终捕捉到准确的画像，需要如网状遍布的为其输送氧和营养的极其细小的血管。

如果对糖尿病置之不理，长期持续的高血糖※状态会造成细小血管伤损，视网膜上会产生宛如瘤状凸起的毛细血管瘤或少量出血。另外，如果细小血管的一部分发生梗塞，血液不能流过该部位，就会出现白斑（又称作单纯性糖尿病性视网膜病变）。

在单纯性糖尿病性视网膜病变阶段，是不会出现视力下降等自觉症状的。但是，如果对其置之不理，细小血管的出血就会加重，就需要生成新的血管来加以修补。如果该血管能够很好地产生作用，便不会出现问题，但是由于新生血管非常脆弱易坏，会反复出现产生→破损→再产生→再破损的现象，因此单纯性糖尿病性视网膜病变会迅速恶化，若导致增殖性糖尿病性视网膜病变进一步恶化后，失明的可能性会增加。

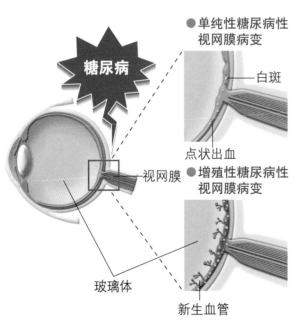

●单纯性糖尿病性视网膜病变

由毛细血管渗出的血液会渗透至视网膜，从而在视网膜上出现白色斑点或少量出血（点状出血）

白斑

点状出血

视网膜

●增殖性糖尿病性视网膜病变

为弥补毛细血管的功能而产生的新生血管会在玻璃体内出血

糖尿病

玻璃体

新生血管

糖尿病肾病

肾脏的毛细血管尤其容易被糖尿病损伤。

肾脏主要起到过滤血液，将血液中的废物（为体内不需要的物质和毒素等）变成尿液排出体外的作用。另一方面，也有将一些自己视为体内需要的物质回送至血液的重要功能。

承担这种机能的部位是肾小球。肾小球是一种细小血管聚集的组织，所以，也是容易受糖尿病损害的部位。

肾小球的细小血管受伤后，过滤废物的机能会降低，对身体有毒的物质就会残留下来，而身体需要的蛋白质却会被丢弃到尿液中。在这个阶段是不会产生自觉症状的，最糟糕的结果是会造成有生命危险的尿毒症※。

肾功能衰竭※到了晚期之后，就必须接受人工透析。这无论是时间还是精神都会给病人带来沉重的负担。

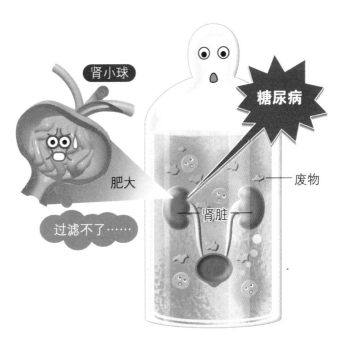

肾小球

糖尿病

肥大

废物

肾脏

过滤不了……

糖尿病神经病变

　　与上述两种并发症相比，糖尿病神经病变是一种在糖尿病早期阶段出现的并发症。如果高血糖的状态长期持续，不仅会伤损细小血管，末梢神经也会产生变性，从而发生各种各样的神经病变。

　　由于神经病变一般会先从身体的末端开始发生，所以，人会出现指（趾）尖发冷或麻木、疼痛等症状。

　　对于糖尿病神经病变，尤其需要注意的是，神经纤维的损伤加剧后，人会感觉不到疼痛或麻木，因此错误地认为症状消失了，疾病就痊愈了。人会感觉不到脚被鞋磨破或皮肤划伤等一些小伤所带来的疼痛，也往往会在毫无察觉的状态下对这些小伤置之不理，糟糕的是它却有导致足坏疽的危险，所以，一定要加以注意。

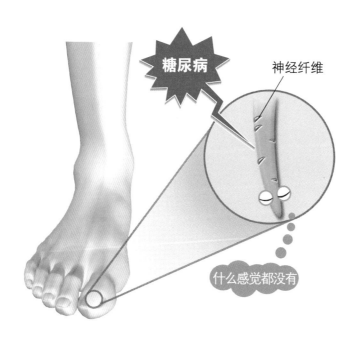

糖尿病

神经纤维

什么感觉都没有

血糖值为什么会升高

血糖值的调节与胰岛素

如果血糖值较高的状态慢性持续，以全身的血管为中心的组织就会发生变性、机能丧失，出现视网膜病变、肾病、神经病变等各种各样的症状。

但是，也并不是说血糖值低就是好事。因为身体的细胞若要正常地工作，作为热量来源的血糖是不可或缺的。如果血糖值太低，会产生疲倦、头痛、注意力下降、意识障碍等严重问题。

血糖值过高或过低都会给身体带来恶劣的影响，人体通过胰岛素和胰高血糖素※等激素来使血糖保持一定的水平。

例如，如果长时间未能进餐而不能补充血糖，胰高血糖素就会产生作用，它会通过将储存在肝脏和肌肉等组织内的糖质转换成葡萄糖来提高血糖值。相反，饮食造成血糖值升高后，身体就会分泌出具有降低血糖值功能的激素——胰岛素。但是，由于糖尿病患者的胰岛素不能顺利产生作用，所以才会导致高血糖的状态。

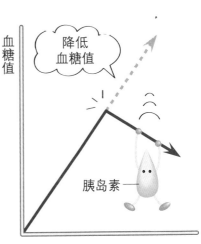

胰岛素的功能

胰岛素是胰脏中胰岛的β-细胞※分泌的一种激素，具有降低血糖值的功能。

饮食导致血糖值升高后，胰岛会相应地分泌出大量的胰岛素。胰岛素会帮助细胞将血液中的葡萄糖作为热量源来加以利用，或将血糖转变成糖原※和脂肪等物质贮藏在脏器或皮下等部位，起到降低血糖的效果。

但是，也并非分泌出胰岛素之后血糖值就一定会降低。若要使胰岛素发挥出降血糖的作用，必须有与胰岛素结合后促进细胞内活动的"胰岛素受体※"。

举例来说，胰岛素与胰岛素受体就是"钥匙"与"钥匙孔"的关系。

人体内的大部分细胞都含有胰岛素受体，尤其大量存在于肝脏、肌肉、脂肪细胞等组织内。在这些组织内与胰岛素结合后，细胞才能将葡萄糖作为热量来加以利用，或以糖原的形式贮藏起来。

生产消化酶的
细胞

β-细胞
在此分泌胰岛素

胰岛

造成胰岛素作用不足的原因

糖尿病是胰岛素作用不足所导致的疾病。

胰岛素的作用不足有"相对不足"和"绝对不足"两种类型。其中，"相对不足"指的是虽能充分分泌胰岛素并存在于血液中，但由于胰岛素受体不能正常工作而造成胰岛素的效果不充分，即胰岛素抵抗。

另一方面，所谓的"绝对不足"指的是血液中的胰岛素含量处于绝对不足的状态。"绝对不足"大多是胰脏胰岛的β-细胞被破坏导致的，这种类型的糖尿病被称作"1型糖尿病[※]"。

在糖尿病患者中，约有90%是胰岛素"相对不足"，即导致出现胰岛素抵抗的"2型糖尿病[※]"。

如果发生胰岛素抵抗，胰岛内的β-细胞就必须被迫过量分泌胰岛素（高胰岛素血症）。这样一来，在初期尽管能竭力保持血糖值，但如果持续过量分泌胰岛素，就会给β-细胞带来极大的负担。

长期下去，β-细胞的胰岛素分泌机能就会降低，胰岛素的血中浓度也会降低，结果导致"绝对不足"。

90%以上糖尿病患者为2型糖尿病

遗传性因素和环境因素导致发病

2型糖尿病的致病原因是前面已经阐述过的遗传性因素与环境因素。

所谓的遗传性因素指的是，父母或祖父母中有糖尿病患者的人罹患糖尿病的几率很大。

因此，同是糖尿病患者的人在谈婚论嫁的时候一定要与主治医生及家人进行充分的商谈，以免子女受遗传因素影响患上糖尿病。

但是，即便父母患有糖尿病，子女却未得糖尿病的实例也很多，所以引发糖尿病的因素并不仅仅是遗传，由于生活在一起的家人大多具有相似的生活习惯（尤其是饮食），因此，不同程度地和这点也有一定的关系。

此外，引发糖尿病的要素（即会使胰岛素的功能恶化的要素）还有进食过量、肥胖等。

进食过量引发糖尿病的原理是，过量进食造成身体对糖质的大量摄取，大量的糖质会被输送至血液中。在这种状态下，胰岛素即便竭力产生作用，也来不及对其进行处理。这样，分泌胰岛素的胰脏β-细胞就会疲惫，便不能顺利地对血糖进行调节。

肥胖引发糖尿病的原因是，如果持续处于肥胖的状态，细胞就会做出不再需要营养素的判断，会拒绝吸纳葡萄糖。这样一来，血液中的葡萄糖就处于无处可去的状态，血液中的血糖浓度只能一路上升。

可见，遗传性因素再加上不合理的饮食生活习惯等环境因素，导致糖尿病发病的可能性就会大大增加。如果觉得自己是容易遗传糖尿病的体质，就要有"如果自己的生活习惯不好，就容易得糖尿病"的心理准备，并在生活中加以注意。

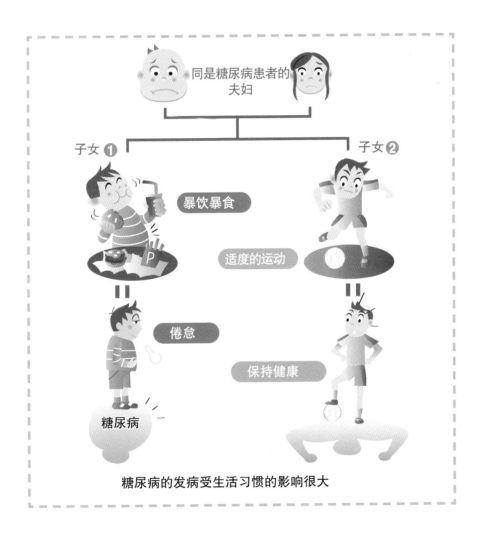

糖尿病的发病受生活习惯的影响很大

饮食养生的智慧②

魔芋的功效

魔芋是利用芋科植物魔芋的球茎所生产的食品。除了97%的水分，大多是食物纤维魔芋葡甘露聚糖，所以它的热量为零。对于需要严格进行热量限制的糖尿病患者来说，它是一道极其适合食用的食品。

魔芋所含有的魔芋葡甘露聚糖具有包裹肠内的有害物质和废物并将其排泄出去的功效。而且，食用魔芋后，会延缓肠对糖质的吸收速度，能够抑制血糖的急速上升。其独特的口感也是非常适合食用的。

●**食用方法**

❶将海带、干松鱼等煮出的汤汁放入锅内，然后，放入鱼丸、魔芋、大萝卜等，完全煮熟后即可食用。食用炖菜能够使人产生满足感。

❷在魔芋的双面刻出细纹，然后撒上少许盐。渗出少量水分后用流水冲洗，用餐纸擦拭干净。在氟素树脂加工的平底锅内薄薄地摊上橄榄油，以煎牛排的方式加热魔芋。做好后浇上用少许酱油和大酱做的作料汁，撒上辣椒面，即可成为一道美味的菜肴。

第3章

预防、改善糖尿病的饮食方法

　　进食过量和肥胖是导致糖尿病的最大诱因。若要达到预防肥胖、稳定血糖值的目的，就要养成良好的饮食生活习惯。本章主要向大家介绍健康的饮食方式和糖尿病患者在饮食上需要注意的事项。

改善饮食习惯有利于控制血糖

会导致高血糖的坏习惯

易导致患糖尿病的4个坏习惯

1 进食过量

在前一章中我们阐述了"糖尿病的可怕之处是会导致并发症"，但我们没必要因此绝望。

因为通过控制血糖是可以做到预防并发症的。

控制血糖的方法有很多，其中，最重要的是饮食疗法。

并不是说只需盲目地减少进食量就可以了，重要的是注意营养均衡、进食量不要过多。这样的饮食习惯还有助于预防心肌梗死、高血压※、高脂血症※等很多生活常见病。

另外，在糖尿病的背后，还有进食过量、不规律的进餐时间以及含食物纤维较少的饮食、酒精摄取过量等不良饮食习惯。

进食过量会导致血糖值的上升是毋庸置疑的。不规律的进餐时间会使胰脏β-细胞分泌胰岛素的节奏变得混乱，对调节血糖产生负面影响，这也是造成

2 不规律的进餐时间

肥胖的原因，一定要加以改善。

由于食物纤维不会被身体消化吸收，在胃肠内滞留的时间会增加，因此，餐后血糖值上升的速度会减缓。而且，食物纤维还具有将体内不需要的成分变成粪便排出体外以及预防动脉硬化（动脉硬化会导致糖尿病的并发症）等作用，因此，在平时的饮食生活中要尽量多选择含丰富食物纤维的食材。

3 摄入食物纤维较少

酒精具有较高的热量，而且几乎不含糖质以外的其他营养素，可以说是糖尿病的大敌。酒精还会刺激肠道，使人的意志控制力减弱。所以得了糖尿病以后，原则上是要禁酒的，对此要有清醒的认识。

4 酒精摄取过量

可控制血糖的饮食疗法

下面详细介绍可控制血糖的饮食疗法。

首先，注意防止进食过量。不要一直吃到饱腹，要养成吃七分饱的习惯。

另外，在注意每顿饭的质和量的同时不要忘记营养的均衡，这也是非常重要的一点。

理想的饮食次数是早、中、晚三餐，最好每餐摄取的热量保持大致均等。如果每天都能在相同的时刻有规律地进餐，分泌胰岛素的胰脏β-细胞的负担也能够得到减少。

适宜进食的食物有：主食（米饭、面包等）、主菜（鱼、肉、蛋、豆腐等）、配菜（蔬菜、海藻、蘑菇、芋类等），再加上豆豉，注意均衡摄取糖质（碳水化合物）、蛋白质、脂质、维生素、矿物质5大营养素和食物纤维。

在每天的饮食生活中需要掌握的窍门

只需花点心思，即可使身体发生变化。要对以下几点进行认真有效的改善。

1 进食量为七分饱

2 一餐进食的食物种类要尽量丰富

碳水化合物、蛋白质、脂肪的合理比例是：碳水化合物占医生规定摄取热量的50%～60%，脂肪为20%～25%，蛋白质为15%左右。

由于蔬菜和海藻中含有丰富的维生素和矿物质等，所以，要均衡食用各种类型的蔬菜和海藻等。

3. 适当控制脂肪

4. 多吃含丰富食物纤维的食品

5. 要做到早、中、晚三餐有规律，进餐时细嚼慢咽

若要使饮食的营养均衡，最佳的方式是米饭、汤菜与2～3种菜肴搭配的食谱。注意，油炸食物的热量较高，含脂肪成分较多，要节制食用。除此之外，还要对盐分的摄取加以控制。

6. 不要习惯性喝酒或无限制地吃东西

患者的饮食注意事项

当您被诊断为糖尿病之后，就要按照主治医生或营养师的指导坚持进行饮食疗法，并注意营养和热量的均衡摄取。

下表按照营养素的类别，将包括日常的食品在内的食物分成6类：① 碳水化合物类（表1）；② 碳水化合物、维生素类（表2）；③ 蛋白质类（表3）；④ 蛋白质、矿物质类（表4）；⑤ 脂质类（表5）；⑥ 维生素、矿物质、食物纤维类（表6）。

另外，表中的食品所含热量是以334KJ为1单位，以含1单位热量的分量显示每种食品。因此，用进食量轻而易举地就能计算出所摄取的热量。而且，由于同一类型的食品营养成分是相似的，可在类型内进行食品的更换，在选择自己喜欢的食品的同时注意保持营养均衡。

6种食品类型

含碳水化合物的食品		含脂肪的食品	
表1	米饭、面包、面粉等谷物，南瓜等含碳水化合物较多的蔬菜和浆果，小豆等豆类	表5	黄油等油脂，鳄梨、硬五花肉（牛、猪）等多脂性食品
表2	水果	含蛋白质的食品	
含维生素、矿物质的食品		表6	胡萝卜、韭菜、西红柿、青椒等黄绿色蔬菜，大头菜、卷心菜等淡色蔬菜，海带、香菇、魔芋等
表3	白丁鱼、鳕鱼、河豚等含脂质较少的鱼类，竹荚鱼、旗鱼、鲑鱼、沙丁鱼等含脂质较多的鱼类，肉及肉类加工食品、蛋、奶酪、大豆（干燥）、豆腐、纳豆等大豆制品调味料……番茄沙司、大酱、砂糖等	调味品……调味番茄酱、豆酱、砂糖等	
表4	牛奶及乳制品	摘录于日本糖尿病学会编《糖尿病饮食疗法之食品交换表第6版》（日本糖尿病学会 文光堂发行）第27～81页	

需要大家记住的含1单位
热量的食品分量

在找到感觉之前，也许做起来会有一点难度，但习惯之后，会给您的生活带来极大的帮助。如果头脑中能有大概的分量（标准），那么，即便是在外进餐也可以放心食用了。

例

含1单位热量（334KJ）的 "米饭"

50g

含1单位热量（334KJ）的 "面包"

30g

含1单位热量（334KJ）的 "苹果"（红）

150g（带皮）

含1单位热量（334KJ）的 "香蕉"

100g（170g）

含1单位热量（334KJ）的 "竹荚鱼"

60g（中1条）

含1单位热量（334KJ）的 "鸡胸脯肉"

80g

含1单位热量（334KJ）的 "豆腐"

内脂豆腐1/4块100g
日本豆腐1/2块140g

含1单位热量（334KJ）的 "蔬菜"

※各种蔬菜搭配后
300g

含1单位热量（334KJ）的 "黄油"

10g（约2/3大匙）

　　1顿吃1碗150g米饭时，由于50g米饭含1单位热量，从米饭中所摄取的热量为3单位。另外，1单位热量为334KJ，所以3单位的热量（即1碗米饭的热量）为1002KJ。

如何改善肥胖状况

防止进食过量的要点

肥胖指的是在体内未被利用的多余的热量变成脂肪和糖原等在体内过剩蓄积的状态，一般表现为体重增加。

造成肥胖的原因是摄取热量远远多于消耗热量。换句话说，是进食过量和运动不足的习惯化、经常化所造成的。

健康的减肥并不是单纯地减轻体重，而是减少脂肪。事实上，即便进行剧烈的运动，也很难将体内脂肪燃烧掉。这是因为脂肪需要20分钟逐渐温热后才能开始燃烧。

不过，令人意外的是运动所消耗的热量是很少的。但是也不能因此认为运动是毫无意义的，对此要注意。

运动能增加基础代谢[※]（人即便什么也不做也会消耗热量），如果只是利用饮食疗法来减肥，会造成肌肉等的减少。

虽然旨在调整摄取热量的饮食疗法始终是改善肥胖的关键，但运动的重要性并不亚于饮食疗法，对此一定要有清楚的认识。

摄取热量过多，即进食过量，并不是因为自己的意志薄弱。虽然导致进食过量的原因有很多，但大多是因为摆在自己面前的食物过多所致。

只是减少饮食的减肥法不健康

唾手可得的食物本身会诱使人产生"吃"的行为，而且，如果餐盘中盛满了食物，人会觉得不吃光了便过意不去，这种习惯性意识也会导致出现继续吃下去的行为。

不要把食物摆在自己的眼前，要明确规定进食时间和地点，进餐时不要直接从大盘中夹取，只将自己所吃的夹到碗中，而且要略少一些，还要有控制自己不再夹取的意识。

凉拌菜……

炸猪排、土豆炖肉

另外，为了能使自己客观地意识到吃了多少，最好养成将饮食内容记录下来的习惯。

尝试写饮食日记

如果能够以日记的形式将自己的进食时间、地点、内容等记录下来，就会发现自己是否在不知不觉中改掉进食过量或饮食的偏好、倾向等习惯。建议您认真尝试一下。

一天人体摄取必要热量的理想值是，男性约8360KJ，女性约6688KJ。可以认为肥胖者和血糖值较高的人摄取的热量远远高于理想值。

要了解自己的一天所需必要热量，只需计算出1kg体重所需的必要热量即可获知。必要热量因劳动的强弱而异，可选择与自己相符的劳动强度之后进行计算。

 不同生活强度的一天所需必要热量

轻体力劳动	●1kg体重为105～125KJ
	对象 办事员、教员、普通店员、主妇等

中体力劳动	●1kg体重为130～146KJ
	对象 勤奋的工人、外勤工作较多的职员等

重体力劳动	●1kg体重约150KJ
	对象 赛季中的运动员、体力劳动者等

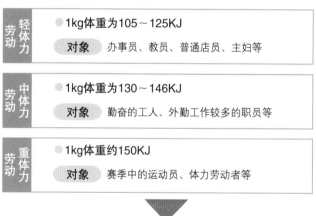

适当体重 身高（m）×身高（m）×22	×	1kg体重的必要热量 ☐KJ	=	一天的必要热量 ☐KJ

例 身高170cm、体重65kg的职员

上限……1.7m×1.7m×22×130（KJ）=约8265KJ
下限……1.7m×1.7m×22×146（KJ）=约9283KJ

饮食日记的记录要点

■ 饮食日记　11月9日

时间	食谱	食品　标准	同时在做什么与何人、在何地	何种心情
7:50~ 8:00	奶茶	一杯	一个人在家里边看电视边吃	有点困
12:45~ 13:00	酱焖鲐巴鱼 豆腐味噌汤 米饭 日本料理筑前煮 海鲜色拉	鲐巴鱼块1块 豆腐 油炸豆腐 鸡肉 胡萝卜 竹笋 芋头 魔芋 裙带菜等海藻 莴苣 圆葱 调味料	在食堂与同事边聊边吃	由于肚子饿了，所以吃得很快
20:00~ 20:30	蔬菜汤 米饭 炒姜 新腌的咸菜 咖啡果冻	白菜 圆葱 西红柿 嫩玉米 猪肉 卷心菜 腌黄瓜 咖啡果冻 奶油	与家人在家里边听音乐边吃	尽量多吃了一些炝炒卷心菜及汤中的蔬菜

要随身携带日记本。
袖珍的日记本会比较
方便，详细地记载饮
食是非常有效果的。

摄取脂肪要注重脂质

总的来说，由于脂肪是高热量的，所以脂肪含量较高的膳食往往会导致热量摄取过剩。

由于热量过高的饮食会导致肥胖、高脂血症、糖尿病、动脉硬化等疾病，所以在摄取脂肪的时候一定要控制量。

但是，并不是说脂肪就是坏东西。

首先，如果脂肪不足，第一个产生的问题便是体内对脂溶性维生素※吸收的恶化。

第二，脂肪作为细胞膜和血液等的组成成分非常重要，如果脂肪不足，血管和细胞膜等就会变弱，引发脑出血等疾病的可能性就会加大。

根据化学结构的不同特征，可以将脂肪分为下面3种类型。它们既有需要积极摄取的，也有需要进行控制的。

在摄取脂肪的时候，要注意以下方面：

脂肪的3种分类

1 单纯脂质　**甘油三酯、蜡**
一般被称作脂肪，被作为贮藏脂质储存下来。

2 复合脂质　**脂质、糖脂质**
与蛋白质结合后形成细胞膜，作为身体组织的构成成分非常重要，不能成为热量源。

3 衍生脂质　**甾醇**
多数为胆固醇，是构成细胞膜的重要脂质。但是，如果摄取过量会引发动脉硬化；如果不足，则会导致免疫力降低，血管变弱。

脂肪酸的种类与功能

作为甘油三酯的构成成分，脂肪酸有很多种。

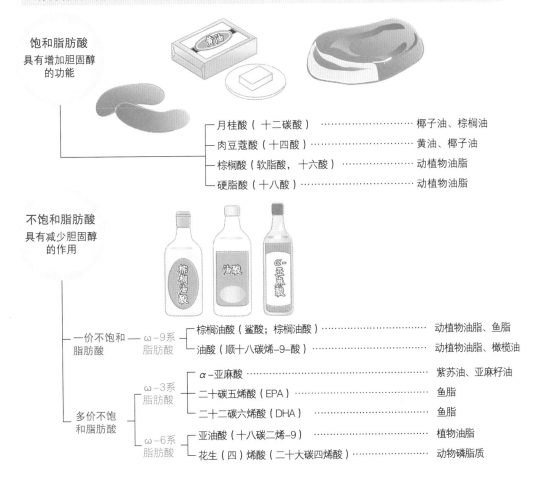

饱和脂肪酸
具有增加胆固醇的功能

├─ 月桂酸（十二碳酸）·················· 椰子油、棕榈油
├─ 肉豆蔻酸（十四酸）·················· 黄油、椰子油
├─ 棕榈酸（软脂酸，十六酸）·········· 动植物油脂
└─ 硬脂酸（十八酸）·················· 动植物油脂

不饱和脂肪酸
具有减少胆固醇的作用

一价不饱和脂肪酸 ── ω-9系脂肪酸
├─ 棕榈油酸（鲨酸；棕榈油酸）·········· 动植物油脂、鱼脂
└─ 油酸（顺十八碳烯-9-酸）·········· 动植物油脂、橄榄油

多价不饱和脂肪酸
ω-3系脂肪酸
├─ α-亚麻酸 ·················· 紫苏油、亚麻籽油
├─ 二十碳五烯酸（EPA）·········· 鱼脂
└─ 二十二碳六烯酸（DHA）·········· 鱼脂

ω-6系脂肪酸
├─ 亚油酸（十八碳二烯-9）·········· 植物油脂
└─ 花生（四）烯酸（二十大碳四烯酸）·········· 动物磷脂质

总结

①要尽量控制摄取含较多饱和脂肪酸的棕榈油和椰子油、猪油、牛油、黄油等。

②尽量食用含丰富加热烹调时不易氧化的一价不饱和脂肪酸的橄榄油。

③尽量用含丰富ω-3系脂肪酸多价不饱和脂肪酸的青背鱼做主菜。

肉类的选择和烹调方法

肉类含有很多会增加血液中的甘油三酯和胆固醇的饱和脂肪酸。因此，在食用肉类的时候，要尽量选择脂肪较少的部分。

必须食用含肥肉较多的肉时，在烹饪之前要事先将肥肉切掉，虽然会费一些工夫，但却是必不可少的。

或许您会多少觉得有些可惜，但这样做能够在一定程度上减少热量的摄取，所以要狠下心来将肥肉切掉。

另外，即便同是牛肉、猪肉、鸡肉，选择部位的不同，脂肪的含量也有惊人的不同。这也意味着摄入的热量也有相当大的差异。

参照下页的插图，您即可明白其中的意义。在考虑食谱或购物的时候，要以各部位所含的热量为标准来决定食用哪一部分。

选择好了要食用的部位之后，下一步的关键就是烹饪方法了。不同的烹饪方法对脂肪的摄取量也是有很大差异的。

如果采用油炸、煎炒等烹饪方式，除了食品本身所含的脂肪，还会摄取到多余的油脂。在烹饪方面，最好采用煮、蒸、烤等可减少食品本身所含脂肪的方法。

肉（100g）所含的热量

与牛肉相比，鸡肉所含的热量较低。

另外，牛肉不同的部位所含的热量也有所不同，通过对部位的选择可以达到控制摄取热量的目的。

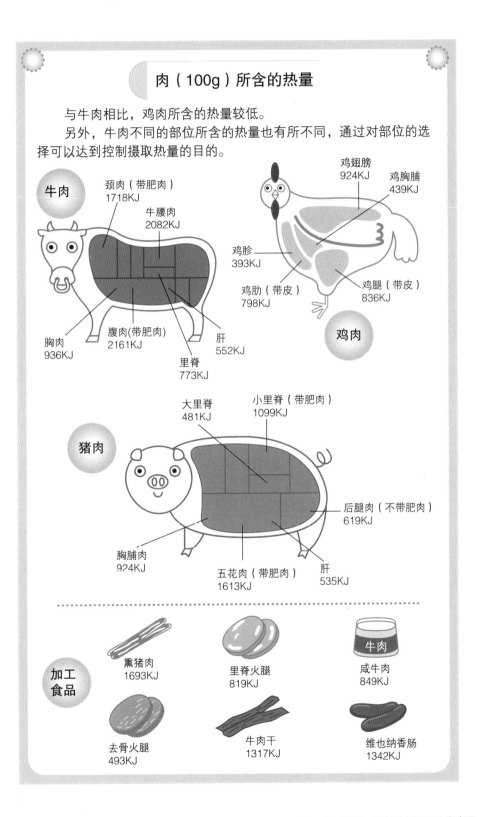

牛肉

颈肉（带肥肉）
1718KJ

牛腰肉
2082KJ

胸肉
936KJ

腹肉(带肥肉)
2161KJ

里脊
773KJ

肝
552KJ

鸡肉

鸡翅膀
924KJ

鸡胸脯
439KJ

鸡胗
393KJ

鸡肋（带皮）
798KJ

鸡腿（带皮）
836KJ

猪肉

大里脊
481KJ

小里脊（带肥肉）
1099KJ

后腿肉（不带肥肉）
619KJ

胸脯肉
924KJ

五花肉（带肥肉）
1613KJ

肝
535KJ

加工食品

熏猪肉
1693KJ

里脊火腿
819KJ

牛肉
咸牛肉
849KJ

去骨火腿
493KJ

牛肉干
1317KJ

维也纳香肠
1342KJ

减少油分，降低热量

烹饪时减少食用油的用量，也能够达到大幅降低热量的目的。

例如，如果使用网式烧烤或烤炉，不仅能够给食材增加香味，还能让人觉得实在，获得心理满足感。

炒菜的时候，要利用食材本身所具有的脂肪，少量用油，使用氟素树脂加工的平底锅，就可以减少热量。

可减少油分的烹饪技巧

炒菜

❶ 利用氟素树脂加工的平底锅

❷ 用计量匙计量所用食用油

❸ 将锅和油加热，用高温、短时间烹制

❹ 很难煮熟的食材要事先焯一下

另外，如果食用含脂肪较多的肉类，可采用煮、蒸等方式来减少多余的油脂。

准备吃牛肉时，与烤肉或日式火锅相比，最好采用中式火锅的吃法；吃猪肉时，与炸猪肉片相比，将涮好的肉片放在色拉上食用，能进一步减少热量；油炒鸡胸脯肉比干炸鸡、蘸酱油和料酒的烤鸡的热量要低。总之，要尽量选择可减少油分的烹饪方法。

色拉

① 将材料充分去除水分

② 在即将食用之前才撒上调味料，拌好

③ 利用柑橘类、香料、高汤等控制调味料的油分

油炸

① 将材料充分去除水分

② 将材料切得稍大一些

③ 面衣要少裹一些

④ 充分控掉油

可控制热量又分量十足的美食

减少油分后，往往会失去一些脂肪所特有的味道，很多人会因此感受不到菜肴独有的美味。

但是，因此而不减少脂肪摄入，很难达到消除肥胖的目的，而且对健康也会带来严重影响。

为了既能减少脂肪摄入又能享受美味、分量十足的美食，我们可以在食材和盛法、吃法等方面下些工夫。例如，要减少热量，减少进食量是尤其重要的，但是看上去很少、很快就能吃完的食物量，是不会让人满足的。此时，如果能在主菜的下面多铺上一些蘑菇或海藻，就可以看上去分量很多，不仅能控制热量摄入，而且能够让人吃饱。

 给食物增加量感的窍门

1 进餐前先吃汤菜

汤菜最好在进餐的开始阶段食用。充足的水分可使胃获得满足，防止空腹时导致的快速进食。也可加入蔬菜和魔芋等来增加分量。

2 米饭中多加一些配菜

加有多种蔬菜的米饭不仅具有量感还能够让人吃饱。可使用虾和带壳的贝类以及带骨的鸡肉等增加营养。

3 在肉类中搭配蔬菜、海藻和蘑菇等

在汉堡中加入切碎的蔬菜，如果是薄片肉，可卷上蔬菜食用。若是炖鱼，可将鱼与裙带菜和金针菇等一起煮炖，使主菜看上去分量十足。

另外，可以用莴苣等蔬菜将肉类卷起来吃，这样不仅能享受美味，还有利于健康。

调味方面，如果菜肴的味道较浓，往往会导致米饭等主食的进食量增加，所以，要尽量做得清淡一些。例如，使用柑橘类和香草等来调味，不仅可使食物味道清淡，而且还会使食物的风味更加丰富。在炖蔬菜的时候，如果将蔬菜与贝类和墨斗鱼等一起煮，做出来的炖菜既清淡又美味。

在米饭方面，与用大碗只盛一点相比，用小碗盛取适量的米饭看上去分量会更多一些，所以，在外观和盛法上也可以做些文章。

4 增加器皿的数量

不要用一个大盘盛各种各样的菜肴，将各道菜分盛在小盘中，这样餐桌看起来很丰富。另外，与用大碗盛饭相比，用稍小的饭碗盛2碗会使人觉得分量十足而有满足感。

5 使用风味蔬菜

蔬菜可以与具有很强风味的鱼贝类搭配烹制。墨斗鱼与芋头、鲥鱼与大萝卜、干贝与青菜等搭配，可使菜肴具有独特的风味。

6 使用香草和柑橘类的榨汁

在菜肴做好之后，添加具有风味的香草和柑橘类的榨汁，会进一步增添菜肴的风味。要常备这些榨汁，以便随时使用。

选择低热量、低脂肪的食品做餐后甜点

含糖较多的食品1次食用量的单位与热量

	1次食用量	单位	热量(KJ)
水果	草莓（10粒、100g）	0.44	146
	桔子（1个、70g）	0.39	130
	香蕉（1个、100g）	1.09	364
	葡萄（1串、150g）	1.05	351
	苹果（1/2个、150g）	0.94	314
	猕猴桃（1个、80g）	0.56	188
	西瓜（1块、200g）	0.78	259
	柿子（1/2个、60g）	0.75	251
糕点	铜锣烧（1个、60g）	2.13	711
	煎饼（1片、15g）	0.71	238
	糯米团（1串、60g）	1.48	493
	奶油泡芙（1个、80g）	2.50	836
	草莓蛋糕（1个、150g）	6.38	2132
	油炸圈饼（1个、80g）	3.88	1296
	苹果派（1块、100g）	3.96	1325
	巧克力（1个、60g）	4.14	1384
	炸薯条（1袋、90g）	5.88	1965
清凉饮料	运动饮料（350ml）	1.10	368
	营养（维生素）饮料（140ml）	0.63	209
	食物纤维饮料（100ml）	0.58	192
	橙汁（100%）（200ml）	1.00	334
	番茄汁（200ml）	0.43	142
	可乐（350ml）	1.89	631
	罐装可乐（250ml）	1.44	481

（根据日本《食品成分表》（第五版）编制）

有很多人虽然知道高热量的餐后甜点对身体无益，却禁不住甜点的诱惑。

冰淇淋和蛋糕等餐后甜点被分类为嗜好食品，这意味着什么呢?

嗜好食品被认为是"糖尿病患者不宜食用的食品，食用时需要咨询主治医生"。尽管如此，它们也并不是身体绝对不需要的食品，但最好能不吃就不吃。

甜点类食品所含的砂糖有时会造成血糖值急剧上升，尤其是西式甜点，它们含脂肪成分较多，热量往往很高。实在忍不住要吃时，要尽量选择脂肪成分较少的日式点心或果冻等。

但是，即便选择的是低热量、低脂肪的餐后甜点，也不可以进食过量。在吃甜点时要有"少量"的意识，强迫自己"只吃2个"或"晚饭后不吃"，设定一个固定的食用时间，并且在时间上有所间隔，这样就可以在不影响糖尿病的前提下享受美味的甜点了。

水果含有丰富的维生素、矿物质等营养素，还含有丰富的食物纤维，是非常好的食品。但由于其含汁液较多，所含的热量也较高，也是需要我们加以注意的食品。1天吃1单位热量（334KJ）左右的水果，应该是没有问题的。

在外进餐时的热量控制

在自己家里每天能够通过称量食材分量等方式来烹制食物，可使饮食疗法得以顺利进行。但是，有时会因这样或那样的原因只能在外进餐。这时，最重要的是要了解"这种食物使用的是什么材料及用量多少"。

概括起来，在外进餐的食物大致有以下几个特点：❶ 蔬菜少；❷ 味道浓；❸ 脂肪多；❹ 整体分量大。这些均是为了让顾客获得暂时的满足

 普通食谱的热量标准

餐饮店会有各种各样的食谱，我们要掌握它们大致的热量，作为点菜时的参考。

□ 蛋包饭	□ 汉堡套餐	□ 炸虾套餐
3219 KJ	4055 KJ	3114 KJ
□ 猪排咖喱饭	□ 炖牛肉	□ 烤鲑鱼
4180 KJ	1814 KJ	2236 KJ

感采用的烹调方法。所以，糖尿病患者在外进餐时一定要知道食物的热量及营养构成。

因此，米饭多时不一定要吃完，不点油腻的菜肴，蔬菜较少时要追加一道蔬菜的家常菜，通过这些方式来尽可能地做到控制饮食的热量摄入。

与蛋包饭和猪排咖喱饭等菜肴相比，米饭与主菜、配菜、汤菜等搭配的套餐所含营养更均衡一些，所以，建议选择后者。

☐ 盖浇饭

2926 KJ

☐ 叉烧面

2006 KJ

☐ 炒饭

3386 KJ

☐ 麻婆豆腐

2633 KJ

☐ 韭菜炒猪肝套餐

2717 KJ

☐ 汤面

2404 KJ

如何利用饮食来改善生活质量

需要多餐、补餐

糖尿病患者每天的饮食非常重要。如果一顿饭的进食量较多，会导致血糖急剧上升；相反，如果进食量过少，会造成低血糖。可以说，糖尿病患者始终处于与危险相伴的状态。为了使自己安心地过好每一天，在饮食上就要加以注意。

作为糖尿病患者饮食疗法的一种方法，多餐、补餐非常重要。不过，要事先了解自己需不需要多餐或补餐。

一般情况下，我们1天所需的必要热量需要分3餐来摄取，所谓多餐指的是通过3次以上的进餐次数来摄取必要热量。虽然一日三餐在固定时间进餐是糖尿病饮食疗法的根本，但有些人即便接受胰岛素治疗，血糖也会很不稳定，就需要通过减少一餐的进食量即减少热量摄取的方式将血糖值控制在某种程度之下，这样才能够达到控制血糖的目的。另外，由于使用中效型胰岛素※的患者即使进餐时间间隔很长也不会

进餐次数要3次以上

咯吱
咯吱

多餐

造成低血糖，所以需要多餐。例如，如果在22点吃晚饭（即晚餐的时间晚于平时进餐的时间），那么在傍晚的18点左右就应先吃点饭菜，这样22点吃晚饭时米饭就会吃得较少一些。这么做既不会超过一天的热量摄取量，还能够预防低血糖。

与此相对，补餐与摄取一天必要热量的饮食不同，是需要增加热量的进餐。运动量比平时多的时候或为了预防夜间出现低血糖，以及在测定血糖的时候发现血糖值过低等场合，需要补餐。由于巧克力、糕点、包子等食品容易造成血糖控制紊乱，不适合用于补餐。补餐时，应尽量选择饼干或煎饼等食物。

多食鱼类，让血液流动更顺畅

如第32、33页所述，如果高血糖的状态长期持续，会导致动脉硬化。动脉硬化是引发心肌梗死、脑卒中等会致人死亡的疾病的重要因素，因此，在糖尿病的并发症当中，人们认为动脉硬化是最可怕的。

若要预防动脉硬化，食用富含第55页所列举的"DHA（二十二碳六烯酸）"和"EPA（二十碳五烯酸）"等脂肪酸的青背鱼是非常有效的。

"DHA"和"EPA"均属于多价不饱和脂肪酸的ω−3系脂肪酸，具有减少甘油三酯、预防高脂血症和高血压等疾病的作用，并且，

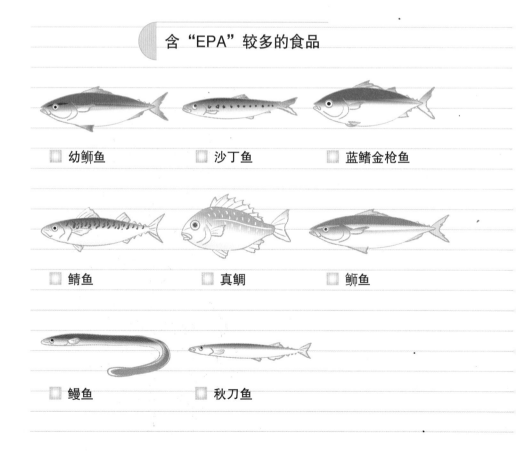

含"EPA"较多的食品

☐ 幼鲕鱼　　　　☐ 沙丁鱼　　　　☐ 蓝鳍金枪鱼

☐ 鲭鱼　　　　☐ 真鲷　　　　☐ 鲕鱼

☐ 鳗鱼　　　　☐ 秋刀鱼

"DHA"具有预防动脉硬化的作用，而"EPA"还具有抗血栓作用[※]。

含丰富"DHA"的食品有蓝鳍金枪鱼、真鲷、鲕鱼、鲭鱼、鲅鱼、幼鲕鱼、鳗鱼、秋刀鱼等。另一方面，含"EPA"较多的食品有幼鲕鱼、鲭鱼、真鲷、沙丁鱼、蓝鳍金枪鱼，鲕鱼、鳗鱼、秋刀鱼等。它们都是应该多食用的食材。

但是，多价不饱和脂肪酸的唯一缺点是容易腐坏。对于这些食材，如果有可能的话，尽量不采用加热的烹调方式，最好在新鲜的状态下生吃。

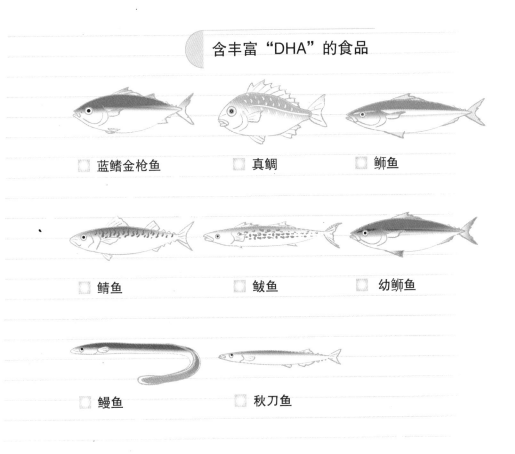

含丰富"DHA"的食品

☐ 蓝鳍金枪鱼　　☐ 真鲷　　☐ 鲕鱼

☐ 鲭鱼　　☐ 鲅鱼　　☐ 幼鲕鱼

☐ 鳗鱼　　☐ 秋刀鱼

可促进血液循环的其他食品

除了鱼类，还有很多含丰富维生素A、维生素C、维生素E的食材，以及大豆和纳豆等大豆制品都具有促进血液流动顺畅的效果。

例如，在种类众多的维生素族当中，维生素A、维生素C、维生素E尤其具有中和活性氧※的效果，被称作"抗氧化维生素"。虽然它们可以单独地防止活性氧侵害身体，但是，几种维生素组合搭配后，在相互作用下，会进一步提高抗氧化力。

具体来说，维生素C能提高维生素E的抗氧化作用，维生素E可防止维生素A氧化，而维生素A又能使维生素C和维生素E的作用持久。

另外，大豆中含有一种叫做"皂角甙"的成分，对身体健康十分有益。皂角甙溶入水中后会发泡，不仅有溶化油脂的性质，还具有将蓄积在血管中的脂肪和胆固醇除掉的作用。另外，大豆中还含有一种叫做"异黄酮"的多酚，异黄酮除了降低胆固醇和甘油三酯，还具有降低血糖的效果。

需要积极食用的、促进血液流动顺畅的食品

在制作菜肴的时候，下面内容可以作为参考，巧妙搭配各种维生素。

含丰富维生素A的食材

肉 猪肝和鸡肝等

鱼 老头鱼的肝和银鳕和烤鳗鱼片等

蔬菜 王菜、胡萝卜、南瓜等

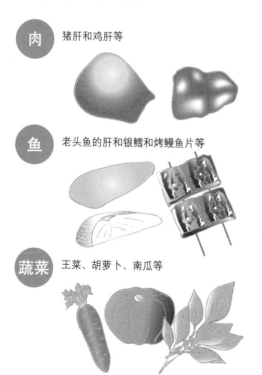

市场上作为调味品的豆豉（大豆发酵后制成的豆豉精华）也具有稳定身体对糖的吸收、降低血糖的效果。

纳豆是将煮好的大豆用纳豆菌发酵后制成的食品，不仅具有大豆的营养，还含有丰富的维生素。另外，它还含有一种叫做"纳豆激酶"的酵素，具有较强的溶解血栓的能力，其效果甚至可以与抗血栓药相匹敌。

它们均有助于预防动脉硬化，应尽量出现在每天的餐桌上。

另外，要预防动脉硬化，水分的补充也非常重要。不过，运动饮料等热量较高，应尽量选择饮用水或茶等。

 含丰富维生素C的食材

蔬菜　菜花、红辣椒、孢子甘蓝、花椰菜等

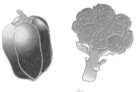

水果　柿子、蕃石榴、猕猴桃、橘子等

 含丰富维生素E的食材

鱼　大马哈鱼、烤鳗鱼片、金枪鱼、鲽鱼等

油脂　向日葵油、棉籽油、红花油等

其他　杏仁、小麦胚芽等

减少盐分摄取，预防并发症

若要预防动脉硬化、糖尿病视网膜病变、糖尿病肾病、糖尿病神经病变等细小血管病变（见第32~36页），不仅要控制血糖，也要控制血压，这是非常重要的。

高血压是约半数糖尿病患者常见的病状，另外，它也是促进糖尿病的并发症发作和恶化的危险因素。

心脏每分钟为全身输送4~5L的血液。血压是指血液的流动对动脉壁施加的压力。

对于糖尿病患者来说，一般认为最高血压（收缩压）应低于130mmHg，最低血压（舒张压）低于80mmHg为佳。如果最高血压超过140mmHg、最低血压高于90mmHg，即可诊断为需要采用药物进行治疗的高血压。有必要进行血压控制的人应该尽快去咨询专业医生。

食盐所含的钠是造成高血压的重要原因，因此，改善饮食，减少盐分的摄取，可以有效控制高血压。

盐分的标准摄取量为每日8~10g，血压已经较高的人有必要在此基础上减少2~3g。在每天的餐桌上，不管是用盐烹制的菜肴，还是火腿等我们看不到盐分存在的食品，都要注意盐分的摄入量。另外，我们还要适量食用含有可将钠排泄出去的钙和食物纤维较多的蔬菜（350g）和水果（200g），以及可强健血管的优质蛋白质食品。所以，我们要掌握各种食品和调味料中的钠含量，努力减少盐分的摄取。

各种食品和调味料中的钠含量

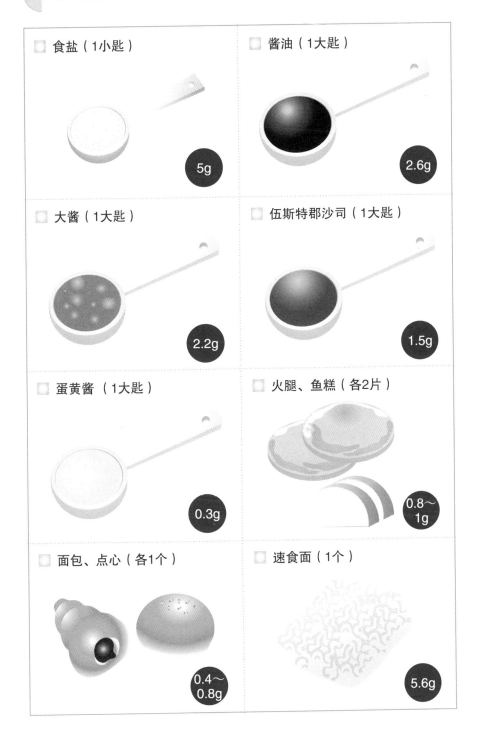

☐ 食盐（1小匙）

5g

☐ 酱油（1大匙）

2.6g

☐ 大酱（1大匙）

2.2g

☐ 伍斯特郡沙司（1大匙）

1.5g

☐ 蛋黄酱（1大匙）

0.3g

☐ 火腿、鱼糕（各2片）

0.8～1g

☐ 面包、点心（各1个）

0.4～0.8g

☐ 速食面（1个）

5.6g

美味的减盐烹调方法

在糖尿病患者的饮食疗法当中，控制使用糖和食盐等调味料，与"选择含脂肪成分较少的食材"和"使用减少脂肪的烹调方法"是同样重要的。

糖与油脂类相同，同样具有较高的热量。不仅食盐、酱油、大酱等调味料中含有盐分，有的食品本身就含有盐分，如果严格按照第73页所写的标准值来烹调食物，您也许会感到索然无味。

 减盐要点

1 控制使用酱油、大酱、食盐、调味料

2 充分利用海带、干松鱼等煮出的汤汁

3 巧妙使用食用油

4 烤出看上去诱人食欲的焦黄色以及巧妙勾芡

74

我们的对策是，烹调时要充分利用有助于减少油脂的柑橘类、香草、香辣料以及干松鱼和海带煮出的汤汁。尤其是干松鱼和海带等食物的汤汁能给食物增加风味，只需加些作料即可变得非常美味，柑橘类、香草、香辣料等也可视情况灵活使用。

如果巧妙使用这些调味料，就能够充分享受到食材的原味。如果能够在饮食中发现前所未有的新乐趣，成功减盐并改善糖尿病症状将不是难事。让我们始终不懈地将减盐进行到底吧！

5　使用火腿、香肠等制作菜肴时要控制使用调味料

6　将调味料撒在表面

7　使用无油调味料和低热量调味料

8　使用醋、香辣料、香草、柑橘类、芝麻等作料来调味

应尽量避免饮酒

酒精饮料不仅热量高，而且除了糖质几乎不含其他营养素，因此不适合糖尿病患者饮用。而且，由于酒精会刺激肠道，使人意志控制力减弱，不再遵守饮食限制。糖尿病患者要尽量避免饮酒，只有那些血糖值稳定，没有采用药物治疗，并且没有出现并发症的人，出于放松心情的目的才可以偶尔适量饮酒。

酒精摄取量因人而异，男性饮酒每天不应超过2杯（每杯酒精含量为10～15g），女性每天饮酒不要超过1杯。每周让肝休息一两次是理想的做法。

饮酒注意事项
喝酒要谨慎，严禁饮酒过量。

1 一定要适量

NO!

烧酒
少半杯

啤酒
中瓶1瓶

但是，无论是血糖值正常的人，还是指标处于临界状态的人，都不能饮酒过量。饮酒过量的结果是肝功能病变，使人陷入不得不禁酒的状态。所以，酒是一种只可少量享受的饮品。

2 偶尔"休息一下"

去老地方……

BAR

下次吧!!

不来了，
就喝这些

3 任何场合都要适可而止

4 心情愉快地享受一下吧

巧妙减少饮酒量的方法

那些不想失去饮酒乐趣的人要注意以下几个要点。即便是那些觉得稍微减少饮酒量都非常困难的人，只要想办法，也是可以做到轻松减少饮酒量的。

我们以每晚喝2～3大瓶啤酒的S先生为例。有一天他在反省自己时发现，饮酒量在中瓶1瓶左右时心情很愉快。因此，自那天以后他就决定晚上喝酒只喝中瓶1瓶，也不再购买曾经习惯的大瓶啤酒放在家储存。在一瓶喝完之后再去冰镇下一瓶。将啤酒放到冰箱内直到冷却，这

巧妙减少饮酒量的方法

☐ 不要购买大量的酒存放，只买够一天喝的

☐ 不要在冰箱内冰镇很多的啤酒或葡萄酒，只冰镇够一次喝的

☐ 想再喝一瓶的时候，在一瓶喝完之后再去冰镇下一瓶

需要一段时间，在此期间，想再喝一瓶酒的欲望会自然减弱，就可以成功做到轻松减少饮酒量了。

下酒菜也要选择那些不会造成饮酒过量的食品。建议大家选择鱼、豆腐、蔬菜、醋制食品等，尤其是含大量蔬菜的火锅，它可以使人慢慢进餐，是最为理想的下酒菜。腌制的菜肴或咸鱼肉等含盐分很多，会增进食欲，尽量避免食用。

 理想的下酒菜（低热量、高蛋白的食品）

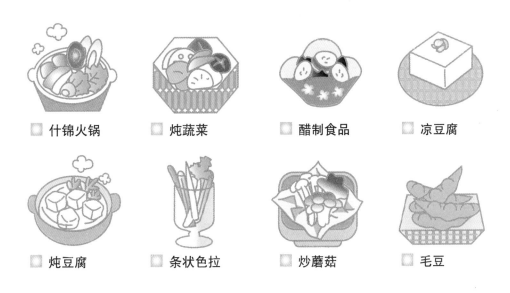

☐ 什锦火锅　　☐ 炖蔬菜　　☐ 醋制食品　　☐ 凉豆腐

☐ 炖豆腐　　☐ 条状色拉　　☐ 炒蘑菇　　☐ 毛豆

减少饮酒量的烹调方法

煮杂烩	▶▶▶▶▶▶	多放一些蔬菜和海带等
拼盘	▶▶▶▶▶▶	注意脂肪和盐分等
烤鸡肉串	▶▶▶▶▶▶	注意作料汁中的盐分
生鱼片	▶▶▶▶▶▶	不要放太多的酱油

专栏

黏质蔬菜的功效

对糖尿病患者来说，秋葵和王菜、山药等吃起来黏糊糊的蔬菜是非常理想的食品。

秋葵所含的黏液是黏蛋白、果胶、半乳聚糖等多糖类，是一种食物纤维，这种黏液成分会在肠内包裹糖质，延迟糖质的吸收速度，所以可抑制餐后血糖值的上升。王菜和山药所含的黏液成分与秋葵相同，都是一种食物纤维，具有抑制餐后血糖值上升的效果。

我们要了解各个食物的特性，充分应用到菜肴制作当中。

●秋葵

除了食物纤维，还含有丰富的具有抗氧化作用的 β-胡萝卜素、维生素B、烟酸、矿物质等。维生素B族和烟酸有助于将糖质和脂质等有效转变成热量，在其所含的矿物质当中，镁可活跃胰岛素，亚铅会成为胰岛素的材料。

●王菜

除了食物纤维，还含有丰富的具有较强抗氧化作用的维生素C和 β-胡萝卜素、钙、叶酸等。维生素C和 β-胡萝卜素可防止细胞的衰老，钙可抑制压力所带来的焦躁感，叶酸有助于预防贫血和肌肤粗糙等。

●山药

除了食物纤维，还含有丰富的镁、亚铅、维生素B_1、维生素C等。

维生素B_1可促进糖质代谢，镁可活跃胰岛素，亚铅会成为胰岛素的材料。由于山药加热食用会造成有效成分的流失，所以，最好生吃。

山药含水分较多，适合切成细丝。而且它的黏性较强，勾芡用，味道很美。

第4章

糖尿病的运动疗法

在糖尿病的治疗方法中，运动疗法是与饮食疗法并列的基本方法之一。为什么呢？本章将针对运动所带来的各种好处进行详细解说。

运动是一剂良药

体验一下运动的效果吧

　　饭后运动，可以延缓肠道对血糖的吸收速度，起到抑制血糖急剧上升的作用。另外，如果长期坚持锻炼身体，还能够改善胰岛素的功能，那些需要注射胰岛素的患者也就有望减少注射量。

　　运动还能够提高基础代谢量，形成不易发胖的体质，所以，对那些必须减少体内脂肪的糖尿病患者来说，可谓是一石二鸟。

　　不愿意活动身体的人，以及想运动但很难付诸行动的人，在知道"运动是一剂良药"后，应当立即认真地去实行。

通过运动来
降低血糖值
除了降低血糖值，
运动会带来各种各
样的好处。

养成餐后运动的习惯

溜达溜达

餐馆

运动会起到与药物大致相同的效果

对于糖尿病患者来说，运动带来的急性代谢效应※的体现方式会因疾病的不同控制状态而有很大的差异。只要不是状态非常差的人，通过运动促进肌肉对葡萄糖和脂肪等的利用，都可以降低血糖值。

坚持运动，身体自有的胰岛素功能会得到改善，就有可能会减少胰岛素的注射量，降低血清甘油三酯水平※，增加HDL脂蛋白胆固醇，高血压也会得到改善。

坚持运动可以增强心肺功能和肌肉力量，当然就能提高人的体质。运动身体是使自己得到放松、恢复精神的最好办法，还有助于减轻压力。大家一定要切身去体验一下这些效果。

增强肌肉力量

恢复精神

增强心肺功能

利用一周23EX（健身活动量）的身体活动来预防肥胖、糖尿病

在日本厚生劳动省为预防生活常见病而颁布的《塑造健康的运动指针2006》中，将多于安静状态的所有热量消费活动称作"身体活动"，并推荐1周进行23EX的身体活动。

对于热量消耗量它并不使用通常的热量单位"卡"，而是使用"EX"，其理由是，即便是相同内容的身体活动，如果体重增加，消耗热量也会发生变化。

"身体活动"以维持和提高体力为目的，包括有计划、有目的的"运动"以及此外的"生活活动"（也包含职业活动）。虽然健康者的目标是通过"运动"一周消耗23EX中的4EX，但是，若要切实减少内脏脂肪，则需要10EX以上的运动量。

在不改变饮食摄取量的状态下，如果增加10EX左右的运动量，1个月可减少近1%～2%的内脏脂肪，因此，那些有代谢综合征征兆的人一定要认真进行运动。

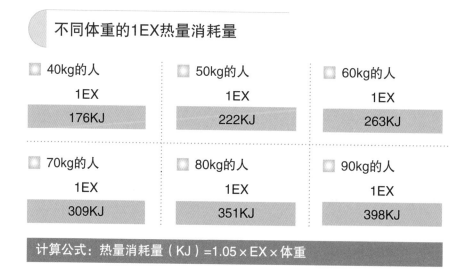

不同体重的1EX热量消耗量

40kg的人	50kg的人	60kg的人
1EX	1EX	1EX
176KJ	222KJ	263KJ
70kg的人	80kg的人	90kg的人
1EX	1EX	1EX
309KJ	351KJ	398KJ

计算公式：热量消耗量（KJ）=1.05×EX×体重

运动

活动内容：相当于1EX的运动时间

☐ 跑步、上楼梯

4分钟

☐ 有氧运动

9分钟

☐ 打羽毛球

13分钟

☐ 水中运动

15分钟

生活活动

活动内容：相当于1EX的运动时间

☐ 搬运行李、向台阶上搬运

7分钟

☐ 与子女游戏、照顾动物（活跃地走路、跑动）

12分钟

☐ 拖地、使用吸尘器、装箱作业、搬运较轻的行李

17分钟

☐ 普通步行

20分钟

利用运动疗法控制血糖

对糖尿病患者来说，运动疗法具有改善胰岛素、增强代谢的效果，因此，非常重要。但是，它未必适合所有的糖尿病患者。在锻炼之前，一定要请主治医生进行医学检查，对糖尿病的控制状态做出评估。

一般情况下，血糖控制较好的人运动后急性代谢效果会向好的方向转变，血糖值降低。但是，血糖控制不好的人，例如，空腹时血糖值高于13.9mmol/L、酮体阳性[※]，或者即便酮体阴性，但空腹时血糖值超过16.7mmol/L的人在运动后，血糖值会上升，有可能出现糖尿病代谢异常，应该加以注意。

另外，还要注意运动强度。运动强度为下面表格中"中等"以下时，糖质和脂质会被作为肌肉的热量源消耗。但是，随着运动强度的提高，糖质的利用比率增大，到最大强度时，只有糖质会成为唯一热量

运动所消耗的热量标准

运动强度	消耗1单位热量(334KJ)所需的时间	运动的种类
非常轻	30分钟	散步、家务（洗涤、扫除）、体操（轻）、乘坐交通工具（电车、公交车站姿）
轻	20分钟	快步走、洗浴、下楼、骑自行车（平地）、广播体操、打高尔夫球
中等	10分钟	慢跑（轻）、上楼、骑自行车（坡道）、打网球（练习）
强	5分钟	马拉松、跳绳、篮球、游泳（蛙泳）、剑道

源，而脂质却得不到利用。如果是高强度运动，身体会分泌一种可使类似胰高血糖素的血糖上升的激素，所以，要尽量避免高强度的运动。

能够改善胰岛素的功能、对糖尿病有益的运动，其效果会在运动后的3天之内减弱，一周内消失。

因此，偶尔萌生运动的念头后开始的剧烈运动，不仅意义不大，而且很容易给身体带来负面影响。理想的做法是每次运动进行10～30分钟（每餐之后）的快步走、慢跑、广播体操、游泳等中等强度的运动，每周进行3次以上。

向您推荐的运动

运动的7个健康效果

对糖尿病患者及有糖尿病征兆的人来说，运动带来的健康效果是不可估量的。

首先，针对运动的健康效果，我们需要重新理解和认识一下。

增进健康的运动3个要点

可喜的效果是这样获得的！

1 运动有望带来的7个效果

1 运动的快速效果是促进葡萄糖、脂肪酸的利用，降低血糖

2 运动的慢性效果是使胰岛素的功能得到促进

3 由于热量消耗增加，有望获得减肥效果

4 防止因年龄增长和运动不足导致的肌肉萎缩，增强肌肉力量

5 有助于改善高血压和高脂血症等疾病

6 改善心肺功能，提高体力

7 使人的情绪得到放松，消除压力，提高生活质量

2 有效的运动——有氧运动

有氧运动是指运动强度不大，尚达不到喘息程度的运动。在可充分呼吸的状态下，其程度为略微出汗的运动，特点是全身的肌肉都得到活动，不会给身体带来很大的负担，持续运动的时间较长。

☐ 散步

☐ 广播体操

☐ 慢跑

☐ 骑自行车

☐ 游泳

3 增强肌肉力量——抗阻力运动

抗阻力运动（无氧运动）是指热量的产生不需要氧气的运动。

对糖尿病患者来说，一般要进行"有氧运动"。但是，肥胖的人不仅体内脂肪较多，还有可能肌肉松弛，若要绷紧松弛的肌肉，抗阻力运动是非常有效的。

轻松、实效的步行运动

也许有人很难腾出时间来专门运动，不过，只要有运动的念头，步行也是可以带来健康效果的，而且，它是可以随时随地进行的运动。

步行运动有那些优点呢？

首先，步行运动可以增强心肺功能。对人类来说，步行是一种最基本的运动，可以安全、有效地增强心肺功能。

其次，可以促进血液循环。肌肉在将血液运回心脏的过程中起到类似水泵的作用，通过运动，肌肉的功能得到改善，全身的血液循环也能够得以顺利进行。

坚持步行运动，也可以获得提高体力的效果。由于适度的运动可以调整自律神经，因此，还能带来抑制抑郁和增强压力耐受性等效果。在运动刺激下，骨骼的新陈代谢也能够得到促进，具有强健骨骼的优点。

而且，对于糖尿病患者来说，运动所带来的最大效果是减少胆固醇和有效燃烧脂肪。

简单地说，若无其事的步行与快步走，在运动的强度和运动量以及消耗的热量等方面是有所不同的。有助于健康的步行，需要把握运动强度，做起来感到轻松，略微出汗即可。

运动强度可通过心搏率来把握。若要达到健康的目的，要在心搏率为1分钟110次左右的状态下进行运动。吃力或轻松都是没有意义的，以略感吃力的速度步行才是安全、有效的。

另外，步行方式因人而异，有的人会有自己独特的方式。如果用会给骨骼或肌肉等增添额外负担的步行方式，不仅没有运动效果，还会导致疼痛或疲劳，所以，大家要掌握正确的步行姿态，进行轻松的步行运动。

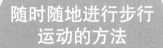

随时随地进行步行
运动的方法

例如，乘坐公交车提前一
站下车，这样就可以增加
步行的机会。

理想的步行姿态

头脑中想着要点，
保持正确的步行
姿态。

● 大脚趾和小脚趾没有压迫感
● 脚尖不能顶住鞋尖，要有5mm左右
　的空余，脚尖能活动

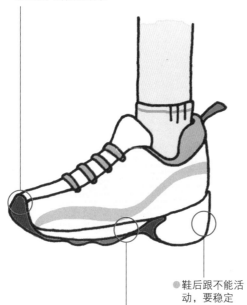

● 鞋后跟不能活
　动，要稳定

● 脚的最宽部位不能被鞋勒住
● 脚背不能有压迫感
● 脚心与鞋底的弧度要一致

1 保持直立姿势

首先，想象头顶好像被一根
细线向上牵引，伸直背肌笔
直站立。肩部放松，目视远
方。轻微收下颌，用腹肌和
背肌支撑背骨。

2 步幅

步幅的标准是"身高−100"
(单位为cm)。例如，身高为
160cm的人的理想步幅是
60cm。用大腿有节奏地步
行，这样会更多地使用下半
身的肌肉，提高运动效果。

选择适合步行的鞋

　　说步行的乐趣取决于所穿的鞋也
一点都不为过。如果穿着不合脚的鞋步
行，脚很容易被磨伤或出血泡，而且还
有可能使体形变形或造成腿、腰、膝盖
等部位的疼痛。所以，首先要选择合脚
的鞋。

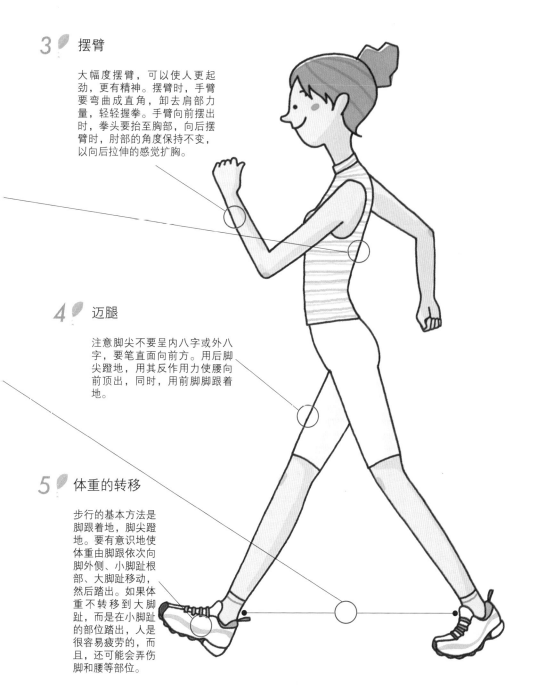

3 摆臂

大幅度摆臂，可以使人更起劲，更有精神。摆臂时，手臂要弯曲成直角，卸去肩部力量，轻轻握拳。手臂向前摆出时，拳头要抬至胸部，向后摆臂时，肘部的角度保持不变，以向后拉伸的感觉扩胸。

4 迈腿

注意脚尖不要呈内八字或外八字，要笔直面向前方。用后脚尖蹬地，用其反作用力使腰向前顶出，同时，用前脚脚跟着地。

5 体重的转移

步行的基本方法是脚跟着地，脚尖蹬地。要有意识地使体重由脚跟依次向脚外侧、小脚趾根部、大脚趾移动，然后踏出。如果体重不转移到大脚趾，而是在小脚趾的部位踏出，人是很容易疲劳的，而且，还可能会弄伤脚和腰等部位。

增强肌肉力量的抗阻力运动

简单地说，抗阻力运动（无氧运动）是在为肌肉施加负荷的状态下进行的运动。常见的有腹肌锻炼、俯卧撑以及利用哑铃进行的运动等。一般情况下，无氧运动属于肌肉锻炼类运动。

在开始进行抗阻力运动时，半蹲运动是容易进行、效果明显的运动。

半蹲运动是通过反复进行蹲下、站起的动作来锻炼体内最大的肌肉——股四头肌的运动。因此，作为有效强化腰腿等下身的运动，半蹲运动是运动员训练的固定项目。如果掌握了正确的方法，是不会造成膝部等部位疼痛的。一旦发生膝部或

半蹲运动
将意识集中在呼吸和姿势上，缓慢进行。

1 双腿分开，与肩同宽。脚尖略向外，伸直背肌。手臂在脑后交叉。手臂抬不起来的人可在胸前交叉或放在腰部。

腰部疼痛，不要过于勉强，可以采用反复从椅子上慢慢起身，再慢慢坐下来的动作来替代它。总之，要在不产生痛感的强度下进行。

　　身体不稳、摇摇晃晃的人，不要将双手放在脑后或胸前交叉，可握住椅子背进行。如果下蹲过深，站起时会给膝部和腰等部位增添负担，要加以注意。

　　除了半蹲运动，还有俯卧撑、手掌推压、拉手臂、仰卧起坐、仰卧抬腿等抗阻力运动。要充分理解各个运动的姿态和效果及注意事项，以缓慢的节奏进行。

2　吸气的同时，慢慢曲膝，蹲下来。目视前方，在伸展背肌的状态下，将臀部向后突出。

3　下蹲到大腿与地面平行的位置时，进行一次呼吸。

4　呼气的同时，保持与开始时相同的节奏，慢慢将腿伸直，恢复原有的姿势（反复进行5~30次）。

俯卧撑
根据自己的体力
量力而行。

俯卧撑是将自己的体重施加到手臂上，对那些没有一定体力的人来说，是一种做起来很困难的运动。不过，可通过将膝盖抵在地板上的方式来减轻手臂的负担。

俯卧撑所锻炼的肌肉会因双手分开的间隔大小而异。双手分开的间隔较大，可锻炼胸肌——腹直肌；如果间隔较小，锻炼的是手臂的肌肉——肱三头肌。

1 将膝盖和双手压在地板上。双手分开，比肩略宽一些。

2 吸气的同时弯曲手臂，使胸部接近地板。此时，脸上抬，视线不要落在地板上，尽量目视前方。

3 呼气时，伸直手臂恢复到原有的姿势（反复进行10～30次）。

做不了俯卧撑的人，也可以借助椅子和墙壁进行锻炼。使用椅子时，要将椅子固定住，以防椅子移动或翻倒。

使用椅子

1. 双手扶在椅子上，双手间隔与肩同宽或略比肩宽。

2. 吸气的同时，弯曲手臂，使胸部接近椅子。此时抬头，视线向前。

3. 呼气时，伸直手臂，恢复到原来姿势（反复进行10～20次）。

手掌推压是锻炼肩部三角肌、肱三头肌、胸大肌的运动。另外，拉手臂运动不仅能锻炼三角肌和肱三头肌，还能锻炼斜方肌。这两种运动均不受场地的限制，而且所需的时间较短，可以组合进行。

手掌推压

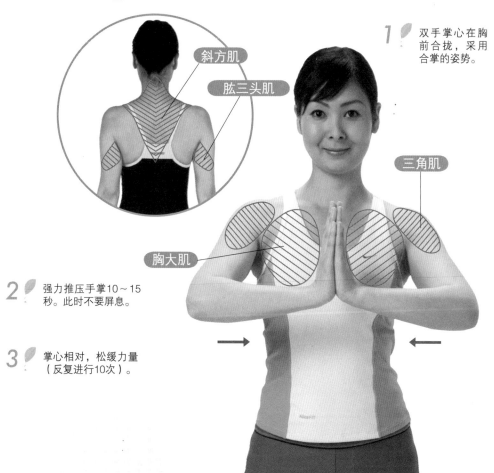

斜方肌

肱三头肌

三角肌

胸大肌

1 双手掌心在胸
前合拢，采用
合掌的姿势。

2 强力推压手掌10～15
秒。此时不要屏息。

3 掌心相对，松缓力量
（反复进行10次）。

1 双于手指在胸前拉在一起，进行拉拽。

拉手臂

2 在此状态下，分别向左右强力拉伸10~15秒。此时不要屏息。

3 左右手的位置互换，重复上述步骤的动作（反复进行10次）。

仰卧起坐是锻炼腹肌的一种
抗阻力运动，对保持体形和减去
腹部脂肪非常有效。

仰卧起坐
可锻炼肌肉，塑造理想
体形。

1 膝部弯曲成90°，仰卧在地板上，双手在
头后交叉。手臂不能上抬到此位置的人，
可以将手放在腿上。

2 吸气的同时，以曲背的方式
抬起上身。尽量看到肚脐。

3 呼气后，边吸气边慢慢
使身体恢复原状（反复
进行10~20次）。

仰卧抬腿是锻炼腹肌的运动，最好
与仰卧起坐组合进行。

仰卧抬腿
躺着进行的运动，可在
就寝前进行。

1 曲膝成90°，仰卧在地
板上。双手以放松的状
态放在地板上。

2 将双腿的大腿上抬至胸
部位置。此时动作不要
过猛。

3 双腿向上伸直。注意动
作不要过猛。

4 将腿恢复至步骤2之后，
慢慢复原。（反复进行
10～20次）

上班途中的简易运动

早晨从家里去车站的路上是进行步行运动的绝好时机。步行一站地或在车站处进行步行运动，单程即可完成10~15分钟的抗阻力运动。同时，在车站或公司尽量不使用电梯，而爬楼梯也是一种很好的运动。如果觉得这些还不够，也可尝试在下班回家的公车上进行脚尖站立运动。即便坐车的时间较短，也是一个很好的机会，一定要有效利用这段时间。

脚尖站立具有消除腿脚的水肿、紧绷肌肉的效果。

脚尖站立
可以塑造完美的体形。

1　双腿分开，与肩同宽，笔直站立。

2　抬起脚跟10秒钟，有意识地用大脚趾根部的突起部位站立。

在车门附近进行上
半身的前倾和后倾
运动

进行时要将意识集中
在腿和腹肌上。

你也可以利用车门附
近的厢壁进行锻炼腿和腹
肌的运动。

不过，如果车内非常
拥挤，那就不要做了。要
在车内人少、不会给他人
带来麻烦的时候进行。

1 站在车门的附近，用
手扶住厢壁后，在腹
肌用力的同时，慢慢
使上半身向前倾斜。

2 面部无限接近车门以
后，手臂不要用力，以
腹肌和腿部的力量恢复
原有的姿势。

利用车内的
吊环拉引双手，
是一种锻炼手臂
至肩部以及腹部
肌肉的运动。

利用吊环拉引双手
以自然的姿势锻炼手臂、
肩部、腹肌。

1 双手抓住吊环，以向下拉拽
的方式用力。

2 以紧绷腹肌的方式尽量
看肚脐的周围。

与家务同时进行的运动

只要想办法，居家的"宅男、宅女"们也有很多机会进行运动锻炼。尤其是在做家务的时候。

擦拭窗户时的平衡站立

以较大幅度的动作锻炼全身的肌肉。

1 以左腿站立，用右手抓住右脚，使身体获得平衡。

2 用左手由上向下擦拭窗户。

只有认真地活动了身体，才会得到令人惊叹的热量消耗效果。如果能够把握运动要点，效果更佳。要始终带着"我要健康"的积极意识，以愉悦的心情进行运动。

擦拭窗户时进行的运动能够使手臂、腿、腰等全身肌肉得到锻炼。如不能很好地保持平衡，可用另一只手来支撑。可轻松做到的时候，用坐垫等垫在支撑腿的下面，制造一个不稳定的状态，通过增加负担来进一步增加热量的消耗。

3 擦拭窗户的下方时，将右腿松开，保持平衡。

4 擦完下面之后，交换支撑的腿和手，以同样的方式进行。

购物归来时，可把装有物品的购物袋当做哑铃，以此来锻炼上半身和手臂等部位的肌肉。

利用购物袋进行锻炼

将较重的物品当做哑铃灵活利用。

1 身体不要因物品的重量而发生倾斜，身体的侧面要绷直，在保持上身笔直的状态下步行。

2 等待结款时，以掌心向上、曲肘成90°、手臂用力的方式提购物袋。

看电视时的放松体操

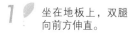

伸展大腿、脚背

在放松的状态下，充分伸展肌肉。

下面向您介绍可在看电视时简单进行的拉伸运动。

1 坐在地板上，双腿向前方伸直。

2 弯曲右腿，在脚尖绷直的状态下，将右腿放在左腿的大腿上。

3 将右手放在弯曲的右腿的膝盖上，慢慢向下按压。此时，左手抓住右脚的脚尖，以拉直脚背的方式向体前拉拽（双腿各拉伸10秒钟，进行2~3次）。

1 坐在地板上，双腿伸直，将一条腿向外侧弯曲，接触大腿部位。

2 呼气的同时，上身向后倾倒，用双肘支撑身体，静止10秒钟（双腿各进行1~3次）。

伸展胸部
这是一种可使身心得到放松的运动。

下班回来，因工作一天而疲惫不堪的时候，也要认真地进行这种运动。

1 坐在地板上，双手处于放松状态，双脚稍分开，轻微曲膝。

2 呼气的同时，身体前曲4秒钟，头部埋在双膝中间后，呼吸1次的同时恢复到原来的姿势。

3 双手撑在腰后，边吸气边挺胸向后倾倒。如果双手能用力按压地板，效果会倍增（反复进行3次）。

1 以放松的姿态坐在地板或沙发上，卸去肩部和手臂的力量，处于松弛的状态。

现代人大多会有颈肩部酸胀、疼痛的烦恼，这种伸展运动可以使肩部和颈部的活动更顺畅，缓解酸胀。

2 保持放松的状态，配合舒缓、自然的呼吸，慢慢地转动颈部，以8秒钟转动一圈为宜。此时，注意不要缩肩（左右各进行3次）。

扭转腰部

塑造苗条身形，还可有效预防腰痛。

1 坐在地板上，双腿笔直伸向前方。

2 弯曲左腿，与伸出右腿的右侧成十字交叉。此时，左手撑在地板上。

充分伸展腰部、背部的肌肉，有预防腰痛的效果。

3 用右手的肘部以按压的方式按在左腿的左侧面，一边呼气，一边用4秒钟慢慢地扭动上身。以背、肩、颈为顺序依此扭转，视线保持水平。

4 用4秒钟使姿势复原，将步骤3的动作重复进行7次。

5 再进行一次步骤3的动作，保持扭转的状态，静止10秒钟（左右各进行3次）。

避免受伤的准备运动和缓和运动

若要使运动安全、有效，一个重要的前提就是要认真考虑可能存在的受伤或事故等因素，例如进行准备运动（热身运动）和缓和运动（放松运动）。

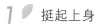

1 挺起上身

双手在头顶上交叉，右腿向前迈出一步，边吸气边大幅度扩展胸部，双臂向上伸至耳后。（左腿也以同样的方式进行，各5次）。

2 转动手臂

缓慢转动右臂，由前至后，再由后向前，以画大圆圈的方式进行转动（左臂也以同样的方式转动，各5次）。

3 前曲与后仰

双腿分开，略比肩宽，呼气的同时，慢慢向前曲体。此时，背部要尽量弯曲，将双臂放在双膝的中间。然后，边吸气边将双手向头顶高高举起，使上身后仰（各10次）。

4 侧向屈体

双腿分开，略比肩宽，双臂在左右方向伸出，呼气的同时，上身向右侧弯曲，双臂沿身体的线条向头顶举起。此时，要尽量将体重分配给外侧的左腿（另一侧也以同样的方式进行，各10次）。

运动前后一定要认真地做好准备运动和缓和运动，以免运动时受伤。

5 侧向扭转

双腿以交叉的方式站立，弯曲双肘，双手叠放在一起，使双臂呈水平状态。然后边呼气边慢慢地向右侧扭转上身，边吸气边复原。接着，再以同样的方式扭转上身（另一侧也以同样的方式进行，各10次）。

6 向前扭转、屈体

双腿分开，略比肩宽，双臂水平伸出。然后边呼气边向前曲上身，同时用右手抓左脚脚踝，左手向头上高高举起。此时，面部和视线向左（另一侧也以同样的方式进行，各10次）。

人的身体是最厌恶剧烈变化
的。热身运动会将身体即将开始
运动的信息传递给整个身体，而
缓和运动传递的信息是运动到此
结束。因此，不要嫌麻烦，要认
真地进行准备运动和缓和运动，
使信息充分传递至身体各部位的
器官。

7 膝部曲伸

在直立的姿势下，上身前曲，双手尽量
接近地板。然后，双手放在双膝上，进
行曲伸。此时，注意脚跟不要跷起（各
10次）。

8 伸展膝部

双腿左右大幅度分开，右腿的膝部
弯曲，充分伸展左腿的膝部。此
时，体重放在右腿上。进行时，可
配合自己的身体状态略作变化，例
如，将腰稍微弯下去来伸展膝部等
（另一侧也以同样的方式进行，各
10次）。

准备运动和缓和运动是运动前后的必要步骤。虽然它们的内容是相同的，但是要带着热身、放松的意识进行。

9 转动上身

双腿左右大幅分开，按照前、左、后、右、前的顺序慢慢转动上身和双臂（另一侧也以同样的方式进行，各10次）。

10 伸展跟腱

双手放在腰上，双腿前后大幅分开。后腿伸直，通过使脚跟反复接触、抬离地板的方式来充分伸展跟腱。

结合身体状况调节运动量和运动强度

若要达到安全运动的目的，必须充分把握自己的身体状况，依此来调节运动量及运动强度非常必要。

这并不一定非要保证每天的运动量相同，能否做出诸如"今天身体状态不好，所以暂停运动"之类的判断才是最重要的。

出现以下情况应中止运动

◉ 发生剧烈头痛

在运动过程中，心脏输送的血液量会增加，为此血管会出现扩张。随着年龄的增长，人的血管会逐渐失去柔韧性，突然开始运动会造成血管硬性扩张，这样有时会产生头痛。如果漠然视之，很可能会产生脑血管破裂，即引发脑卒中等危险，所以，应立即中止运动。

◉ 感觉目眩或恶心

心脏增加负荷后，有时会发生目眩和恶心等现象。由于这很容易引发与头痛同样危险的状态，所以，要立即中止运动。

此外：

- ◉ 出冷汗
- ◉ 腿脚不好使
- ◉ 胸闷
- ◉ 疲劳感加重

如果有以上的感觉，也要立即中止运动。

某健康研究中心对2760名40岁以上的受诊者进行了包括运动负荷检查在内的健康检查，报告显示约有57%的人在心电图方面出现了一些问题。

在中老年人当中，那些有一年以上运动空白的人，专家建议他们在接受运动医学检查之后再开始运动。接受医学检查的项目是心电图、X光拍片、呼吸机能、血液、尿检，而且还要利用跑步机※或卧式健身车※等进行运动的负荷心电图。

出现以下情形需要调节运动量、运动强度

- 发烧
- 全身倦怠
- 恶心
- 头痛
- 宿醉
- 头一天晚上睡得不好
- 感觉心悸或胸痛等
- 安静时的心搏率1分钟超过90次
- 腹泻

第5章

养成不生病的生活习惯

　　治疗糖尿病时，作为现代医学主流的西医偏重于对患病部位进行局部治疗，但重视从整体出发实施治疗的中医以及其他一些替代疗法也着实有效。

　　有的非西医疗法是对西医进行有益的补充，所以，我们应该予以借鉴。

利用中医预防和治疗糖尿病

东方的智慧——调整身心平衡

中医指的是包括中药、针灸、指压等在漫长的历史实践过程中形成的以中国传统医学为基础的治疗方法。

中医重视患者个体的患病原因和体质等，而西医往往重视病名。在中医看来，从患者的体格、外表、体质、食物嗜好、性别、年龄、性格、自觉症状等信息中所获得的综合性诊断——"证"（所谓"证"是指机体在疾病发展过程中某一阶段的病理概括）是非常重要的。

具体来说，"证"是以虚实、表里、寒热、阴阳以及"气、血、水"等标准来决定的。利用虚实来判断生理机能的亢进或衰弱，利用表里从身体的外部到内部来判断哪个部位出现问题，通过寒热来判断身体是发热还是发冷，利用阴阳来推断疾病的发展程度。"气"是维持生命的热量，"血"指的是血液本身所具有的机能，"水"指的是血液以外的体液。

中医以"证"为根本，采用的是对不足的部分"补"、对过多的部分"减"的治疗方法。治疗方法会因"证"而改变，所以即便有10个人出现相同的症状，如果"证"不同，也不会采用相同的疗法或服用相同的药物。

中医处方的标准——"证"

中医是根据病人个体的"证"来开处方的，"证"可以根据以下5项来诊断。

1 虚·实

诊察体力、抵抗力的强弱

虚……没有体力，生理机能衰弱
实……体力过于充沛，生理机能过剩

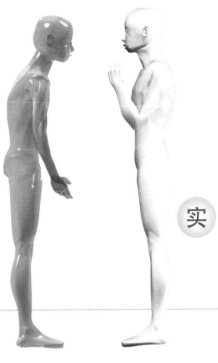

虚　　实

表　　里

2 表·里

诊察身体哪个部位患病

表………… 身体外部（皮肤以及体表附近的肌肉、关节等）
里………… 身体内部（主要为胃肠）
半表半里… 介于表里之间（口至上消化道、胸部）

3 寒、热

诊察患者是感觉热还是冷

寒………… 身体发冷，即便发烧仍
感觉寒冷
热………… 感觉身体发热，上火、
头晕、发热等

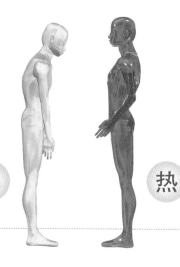

4 阴、阳

诊察疾病的发展程度及与体力的关系

阴………… 疾病恶化，失去体力，
新陈代谢衰弱
阳………… 疾病导致新陈代谢亢进

5 气、血、水

"气"是维持生命活动的能量；"血"指的是血液及血流；水为血液之外的体液，诊察气、血、水是否出现异常

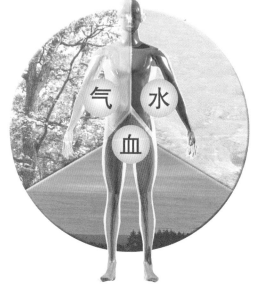

检查气、血、水是否异常

中医认为，如果气、血、水出现异常，人就会生病。

1 气的异常

"气"作为维持生命活动的能量，有3种情况说明其处于恶劣的状态。即气上冲、气郁、气虚。

利用"气异常"来验证所出现的症状：

气上冲 气过旺，处于上冲的状态

- □ 头昏脑涨
- □ 目眩
- □ 心悸
- □ 头痛
- □ 容易脸红
- □ 经常失眠
- □ 容易烦躁

气郁 气在喉部附近停滞的状态

- □ 有不安感
- □ 感觉喉咙发堵
- □ 心情忧郁
- □ 头沉
- □ 乏力
- □ 容易烦躁
- □ 不愿意起床

气虚 气不足的状态

- □ 没精神
- □ 不能灵活活动
- □ 容易疲倦
- □ 易得感冒

2 血的异常

血流恶化后，人会处于血的机能（供给氧和营养）衰弱的状态，分为血虚和血瘀两种。

利用"血异常"来验证所出现的症状：

血虚 处于血机能衰弱的状态

- □ 容易出现黑眼圈
- □ 如果按压肚脐周围，会感觉有压迫感
- □ 肌肤容易粗糙

□皮肤干燥粗糙（蛇皮或鱼鳞皮）
□舌或牙龈的颜色黑红
□容易发生内出血
□容易口渴
□痔疮
□月经异常
□下腹部经常会疼
□情感波动剧烈

血瘀 为血液流动不畅、凝滞的状态

□面色不好
□贫血
□肌肤干燥不湿润
□手脚易发麻
□脱毛较多

---

❸ **水的异常**

体内蓄积有多余的水分（血液以外），处于一种很难排出的状态，称作"水毒"。

□目眩
□眼睛容易疲劳
□容易失眠
□月经不调
□指甲易破裂
□缺乏集中力

□鼻涕像水一样
□尿量过多
□尿量过少
□关节痛
□头痛
□目眩
□容易晕车、晕船等
□站起时容易出现眩晕
□容易出现腹泻
□手脚发冷
□水肿
□容易出现心悸或气力不济
□眼皮痉挛

有助于改善不适症状的中药

患者单独使用某种中药是不能实现直接降低血糖的目的的，但却有助于预防与高血糖相伴的不适症状、自觉症状、并发症等。已经出现并发症时，也具有改善症状的效果。从这些侧面来研究中药的使用具有非常重要的意义。

但是，中药毕竟是药物，如果用法有误，有时也会产生副作用，所以，不要凭借自己的主观臆断而随便用药。

 糖尿病患者常用中药

病情的发展状态是因人而异的，所以在服用的时候，一定要接受医生的诊察，遵从医嘱。

☐防风通圣散

适用症状　脂肪肥大型肥胖、便秘、水肿、上火、肩膀酸胀

☐白虎加人参汤

适用症状　口渴、多饮

☐麦门冬汤

适用症状　伴有咳嗽的口渴等

☐八味地黄丸

适用症状　腰痛、尿频、排尿困难、口渴、肾功能低下、寒症

☐清暑益气汤

适用症状　低烧、口渴、疲劳或有倦怠感

☐牛车肾气丸

适用症状　下半身无力、手脚发冷、下肢麻木、腰痛、口渴

☐六味丸

适用症状　口渴、多饮、手脚发热、排尿异常、腰腿无力、摇晃不稳、耳鸣

☐桂枝加术附汤

适用症状　寒症、手脚麻木、腿脚不灵活

☐调胃承气汤

适用症状　口渴、多饮、多食、便秘、腹部发胀

☐大柴胡汤

适用症状　胸口发胀、便秘

☐滋阴降火汤

适用症状　性欲减退、不孕症、耳鸣、脱毛、白发、口渴、咳嗽

服用中药的注意事项

下面向大家介绍中药的正确煎服方法。阅读时，一定要加深理解，以免出现差错。

使用中药的前提是，患者事前要接受医生的诊察及指导。绝对不要随意服用别人作为礼物送给自己或他人推荐的中药，要在医生诊断的基础上正确使用。

中药的服用方法

一日三次，在两顿饭的间隔服用是最有效的。

每次只煎熬够一天服用的，要在当天喝完。

中药的煎服要点

充分煎熬后在两顿饭之间服用。在服用的同时要与医生进行商谈。

①

一日三次，在两顿饭间隔的空腹时服用。

②

服用后，不要立即饮用牛奶或清凉饮料水。

③

难以下咽时，可加少量的砂糖或蜂蜜，也可以想办法将药汤做成果冻的形式。

中药的煎熬方法　用凉水充分煎熬，萃取出有效成分。

将适量的中药与凉水放入壶内。

容器 陶壶是煎熬中药最理想的容器。如果没有，也可以使用搪瓷或铝、不锈钢、钢化玻璃锅等容器。铁或铜质的容器很容易与中药的成分产生反应，所以，要避开使用。

分量 每天只煎熬1天的服用量，要在当天喝完。

煎法 用凉水以小火充分煎熬。如果用大火或热水来煎熬，无法将药中有效成分充分萃取出来。用小火煮开后，药物分量会减少一半左右，用纱布等过滤后装到其他容器内，趁热服用。剩下的冷却后存放在冰箱内，服用时，将中药重新温热（温度大致与皮肤温度相同）。

用小火慢慢煎熬至分量减半。

趁热服用。

用纱布过滤后，装到其他的容器内。

余下的冷却后，用冰箱存放。

穴位刺激与指压按摩法

中医将气和血等的通道视作经络，主要的经络有肾经、肝经等12条，分别与各个脏器相连，分散在各个经络中的点即为"穴位"。

人体中的主要穴位约360个。由于中医认为身体不调是由气血的流动恶化所致，所以，刺激穴位可使气血的流动变得顺畅，能够产生改善身体状况的效果。

刺激穴位的方法有指压、灸、针3种。在刚开始进行穴位刺激时，可先进行指压按摩。

当然，进行穴位刺激最重要的是把握穴位的准确位置。它们大多位于关节的边缘、肌肉的根部和边缘、皮肤的褶皱之间等部位，所以，可通过实际观察自己的身体来确认穴位的位置。

关于穴位的位置，常有"距膝盖内侧四指处"描述，可以根据这种描述找到大致的位置，然后，凭感觉来确认。

穴位并不是像针尖那么小的一个点，而是大小如指尖，所以，即使有些偏移，也会有一点效果。

自己进行穴位刺激，是否有舒服感觉是非常重要的。找到按压后感觉有效的部位，然后，用拇指的指肚用力按压。

采用按压3秒钟休息1秒钟的节奏进行刺激，每次反复进行2～5分钟。如感觉略有不足时，可以连续进行10分钟左右。

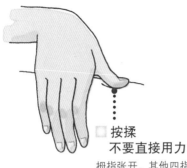

□ **按揉**
不要直接用力
拇指张开，其他四指夹住。拇指稍用力，轻轻按揉有硬块部位的四周，使之放松。

□ **敲击**
用不同的手形进行敲击，使力道强弱有别
拇指轻轻放在食指的上面。

□ **抚摸**
用整个手掌进行轻柔地抚摸
在抚摸腹部的时候，以顺时针的方式进行。

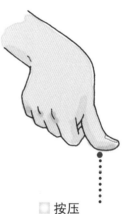

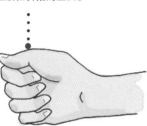

自然地卸去力量，掌心呈圆形。

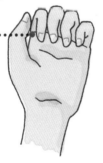

用掌心敲击时，掌心要凹陷。

□ **按压**
使用拇指的指肚
使用拇指的指尖到第一个关节的指肚部分，最初要用柔和的力量按压，不要过于用力。

※穴位刺激以每次3个部位为宜，刺激时间以30分钟为限，饮酒后和高烧、空腹以及身体极度虚弱、洗浴前后3小时、身体外伤、化脓时，不要进行穴位刺激。在刺激的过程中，如果身体状况出现不佳，要停止刺激。

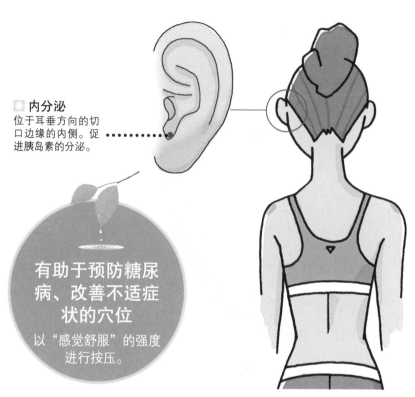

内分泌
位于耳垂方向的切口边缘的内侧。促进胰岛素的分泌。

有助于预防糖尿病、改善不适症状的穴位
以"感觉舒服"的强度进行按压。

阳溪
在手腕背面横纹内侧，拇指向上翘起时，拇短伸肌腱与拇长伸肌腱之间的凹陷处。经常按摩可刺激消化器官，抑制血糖的上升。

中冲
位于中指指甲边缘靠近食指的那一侧。经常按摩能够促进全身的血液循环和糖代谢，有利于控制血糖，还具有促进末梢部位血流的功能以及预防并发症的效果，能够产生降低血压的作用，并能消除与糖尿病相伴的头痛、胃痛、目眩、耳鸣、失眠等症状。

腕骨
位于手腕背面外侧（小指一侧）的骨骼边缘。经常按摩有助于糖代谢，促进内分泌系统的功能，能够消除呕吐、头疼、脖子发硬等症状。

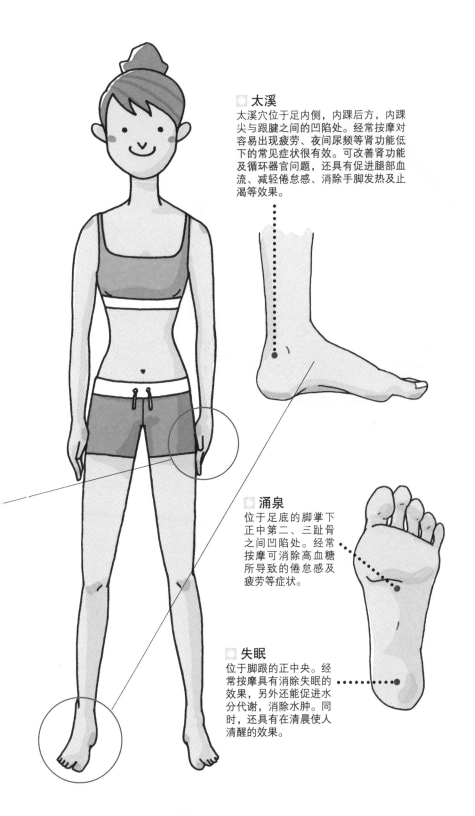

□ **太溪**

太溪穴位于足内侧，内踝后方，内踝尖与跟腱之间的凹陷处。经常按摩对容易出现疲劳、夜间尿频等肾功能低下的常见症状很有效。可改善肾功能及循环器官问题，还具有促进腿部血流、减轻倦怠感、消除手脚发热及止渴等效果。

□ **涌泉**

位于足底的脚掌下正中第二、三趾骨之间凹陷处。经常按摩可消除高血糖所导致的倦怠感及疲劳等症状。

□ **失眠**

位于脚跟的正中央。经常按摩具有消除失眠的效果，另外还能促进水分代谢，消除水肿。同时，还具有在清晨使人清醒的效果。

控制压力

压力会导致血糖值上升

我们所生活的现代社会充满了各种各样的压力，工作压力、人际关系压力、对未来或老年生活的不安等精神性压力，以及大气污染、噪音、食品所含的添加物增多、办公自动化机器的大量使用等物理性压力和化学性压力，等等，各形各色的压力都在明显增多。

如果被这些压力所吞噬，人的身心就会失去平衡。如果不能采取适当的应对措施，人就会陷入健康恶化的境地。所以，要在早期阶段就对压力进行控制，巧妙地去应对从而化解压力。

1 抛弃完美主义

不要束缚自己，即便失败了，也要给自己的精神以一定的空间。

没办法了……

的确

压力是大敌

适度地给自己一个喘息的机会，通过各种方式使压力不累积。

★ 原来如此……

2 直面现实

要有一个能够使自己冷静的态度，坦然地接受现实，以积极的眼光向前看。

压力过大会造成身心疲惫，自律神经和内分泌机能等就会出现异常，结果导致糖代谢恶化，或血糖上升。

过度的压力很容易招致进食过量、偏食以及酒精摄取过量，还容易导致内脏脂肪型肥胖。内脏脂肪会分泌出造成胰岛素感受性※降低的激素，会产生胰岛素抵抗性※，造成高血糖状态。

如果能够巧妙化解压力，减少每天的肉体和精神苦痛，就能使身心恢复到原来的放松状态，对血糖也能够进行良好的控制。因此，要始终将本书中介绍的10个要点记在心上，苦恼的时候按照这10个要点去行动。

3 找到自己的压力界限

找到使自己睡不着、吃不下的压力界限。如果能够及早发现压力界限，就能够做到早期应对。

4 有自己非常热衷的兴趣、爱好

做自己喜欢的事，转换思维，就会给疲惫心灵吹去一缕清风。从兴趣中感到乐趣是非常重要的。

5 痛苦时向周围朋友求助

不要总想着自己去解决所有的问题，倾听他人意见或寻求帮助，有时能给自己拓开一条解决问题的道路。

6. 有可倾诉烦恼的朋友

除了家人和同事，如果还有无话不谈的朋友，关键时刻就有了依赖。

7. 利用运动使自己出身汗

精神和肉体是密切相关的，通过运动来锻炼身体，精神也会坚强起来，所以，即便是短时间的运动也要坚持下去。

看上去好可怕的一个人啊

8. 不要带着成见去与人交往

角度不同，他人的短处有时也会成为优点。舍弃偏见，给自己一个宽广的心胸。

10. 要有说"不"的勇气

如果与周围的人总是同一步调，往往会失去自我。做不到的就坦诚地说出来，不理解的事情就去询问，说"不"的勇气也是非常必要的。

还差一点，解决掉算了

9. 不要将需要解决的问题拖延

那些需要些许努力即可搞定的事情，要尽早解决，这样会使人的精神得到放松。对那些过于费时、费神的问题，放弃也是一个不错的选择。有时局面很快就会发生变化。

半身浴放松法

洗浴不仅能清洁身体，还能消除疲劳，使身体得到放松。

大多数人只用淋浴的方式来洗浴。但是，泡澡才能带来放松的效果。对此，我们来重新审视一下泡澡的重要性。

自律神经有两种，一种是使身体处于紧张状态的"交感神经"※，另一种是使身体处于放松状态的"副交感神经"※。在工作等场合，交感神经会非常活跃；回家后休息时，"副交感神经"会活跃起来，使身心得以解放。

悠闲地泡在38～40℃的温水中（感觉温热），在副交感神经的作用下，身体会进入放松的状态。

如果洗澡水的水位处在肚脐位置的半身浴，水压使心脏和肺等器官的负担减轻。身体自然温热后，血液流动会得到改善，胰岛素的功能也会活跃起来。

温水的半身浴使副交感神经活跃

※人体感觉舒适的洗澡水温度约为42℃，如果用高于这个温度的洗澡水泡澡，在交感神经的作用下，人是得不到放松效果的。高温的洗澡水会使血压上升，另外，随着洗澡时间延长，温热效果会造成血管扩张，血压下降。血压的急剧变动是形成血栓的原因之一，所以，一定要注意。

芳香疗法

芳香疗法是指人们从大自然中的各种芳香植物中提炼出具有不同气味和颜色的精油[※]，利用芳香成分的气味来安抚神经、愉悦心情，或将精油稀释后用于按摩的自然疗法。

在20世纪初期，芳香疗法首先是欧洲在理论和实施方法等方面形成体系，而后逐渐扩展到世界范围。在欧美的一些地区，从早期阶段开始就将其应用到医疗领域，并且获得了很多成果。因此，作为有效的替代疗法之一，芳香疗法日益受到人们的关注和重视。

 芳香浴

◼ 使房间充满香味
将数滴精油滴入芳香壶，加热，使房间香气弥漫。

◼ 利用喷雾器
在喷雾器内装入10ml酒精和10滴自己喜欢的精油，混合均匀后，加入40ml的水。

◼ 利用手绢、纸巾和马克杯等
滴一滴自己喜欢的精油在手绢的边角、纸巾上或马克杯内。夜里可放在枕边去享受芳香，外出时也能享受得到芳香。

从花、果实、叶和树皮等部位中萃取的精油是植物有效成分的浓缩。根据所含物质的不同，疗效也多种多样。既有可使精神得到放松的，也有能恢复体力的，其中一些精油具有可促进胰脏功能的作用。

精油的用法大致有两种。一种是主要利用鼻子来吸闻芳香成分的芳香浴，另一种是通过皮肤来吸收的芳香按摩。此外，还有在洗澡时使用精油的芳香洗浴。一开始可尝试进行芳香浴，只要使手绢或纸巾等身边的物品含有香味，即可轻松地通过嗅觉享受芳香，这非常适合那些初次采用芳香疗法的人。

能够缓解压力和降低高血糖的精油

精油的香味是各种各样的，选择精油时要选择自己喜欢的香味。即使是对症状有效的精油，如果香味是自己所不喜欢的，也得不到放松的效果。在购买前，要仔细闻一下它的香味。

- ●可使人放松的精油
薰衣草、佛手柑、橙花、苦橙花、罗马洋甘菊精油、快乐鼠尾草、天竺葵、柑橘、马郁兰等
- ●促进胰脏功能的精油
薰衣草、天竺葵等
- ●有助于减肥的精油
葡萄柚、大西洋雪松、丝柏、迷迭香等

 芳香洗浴

☐ 利用浴缸或脚盆
将1～2滴精油滴在1茶匙天然盐内，然后放入浴缸。使用脚盆时，滴1滴精油即可。

 芳香按摩

☐ 尝试制作混合精油
精油的成分纯度极高，原则上禁止直接接触皮肤。不过，经调制混合的精油可以，例如，在从荷荷巴（Jojoba）萃取的荷荷巴油（5ml）内滴上1滴自己喜欢的精油可以制作出混合精油。通过将混合精油涂抹在肌肤上的方式进行芳香按摩。

丹田呼吸放松法

丹田呼吸法是一种吸收坐禅要领、并形成一套连续步骤的腹式呼吸法（丹田，即中医所谓的肚脐下7cm附近的部位，被认为是身体能量的中心），也是一种健康方法。

 丹田呼吸法——基本方法

❶ 跪坐在地板上，腰部、颈部伸直，使上半身得到放松。

❷ 右手的无名指和小指放在离肚脐2cm的上方，掌心贴紧上腹部。

❸ 左手的掌心轻放在下腹部（丹田），用3秒钟的时间进行吸气。

反复进行6次以后，双手的位置互换，以同样的方式进行6次。左右各6次为一组。
※可在工作的间隙，坐在椅子上进行。

❹ 以放松胸部的方式，上身略微前倾，使右手的小指所接触的部位凹陷下去，用5秒钟的时间呼气。此时，背部可稍弯曲。

❺ 呼出气息后，恢复至原来状态。

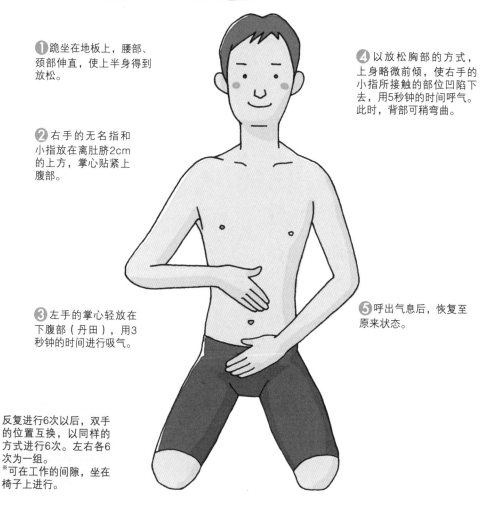

丹田呼吸法——三呼一吸法

这是将原本一次呼出的气息分三次呼出的呼吸法。这里介绍的是可坐着进行的"抢空刀法",但也可在步行时进行。

❶跪坐在地板上。以想象中自己手持木刀的方式将双手叠放在一起,将双手举至头顶的同时,大幅度扩胸吸气。

❷用"呼、呼、呼"的节奏,以抢空刀的方式快速呼气。反复进行多次,做到略微出汗的程度。

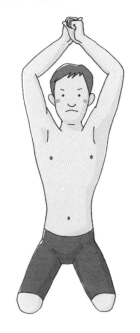

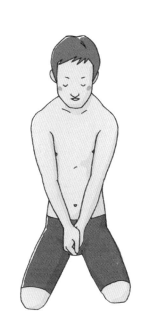

丹田呼吸法以调整身心为目的,进行时要将意识集中在丹田。熟练掌握后,对腹肌和横膈膜※也能够灵活进行控制。

能够熟练利用丹田呼吸法的人,从肚脐到胸口的上腹部是凹陷的,只有下腹部会凸起。皮肤水灵,几乎没有皮下脂肪,全身柔软,看上去像婴儿的小肚肚似的。这就是所谓的"上虚下实"。即上半身的肌肉力量减小,下半身气满,从而使身体稳定。达到这种程度是需要一个漫长过程的。

使用腹肌进行的丹田呼吸法虽然是单纯的呼吸动作的反复,但是,收紧腹肌的时候是需要肛门用力的,这样才能完成以下腹部为中心的呼气。通过收紧肛门,会使髂腰肌收缩,从而绷紧与之相连的背部中间的横膈膜。

丹田呼吸法需要集中精神进行,因而能够稳定和镇静人的精神,大家一定要尝试一下。

消除导致血糖上升的其他诱因

通过戒烟，与高血糖绝缘

除了压力，吸烟也是造成血糖值上升的诱因之一。

有人会通过吸烟获得暂时的安稳感。但从健康的角度来看，吸烟是有百害而无一利的。尤其是血糖高的人，吸烟会促使动脉硬化，因此，吸烟者应该对香烟重新认识。

 吸烟的数量决定2型糖尿病的发病危险度

假设不吸烟者的相对危险度为1时

| 1～20支 |
| 1.88 |

| 21～30支 |
| 3.02 |

| 30支以上 |
| 4.09 |

吸烟获得的安稳感是虚假的

吸烟有百害而无一利。从现在开始戒烟，为时不晚，请您一定要戒烟。

香烟所含的尼古丁被视作与酒精和大麻一样的具有依赖性的物质。体内的尼古丁低于一定量时，吸烟者会出现焦躁、精力不集中等现象，因此就需要不断吸烟来补给尼古丁。但是，香烟散发的烟雾中含有的一氧化碳会损伤血管壁，造成血液循环恶化。另外，一氧化碳与血红蛋白※结合之后，会使血管内陷于缺氧状态，并且"低密度脂蛋白胆固醇"会上升，加速动脉硬化，使心肌梗死、脑梗死以及脑血管性痴呆※等疾病的发病率升高。

香烟的烟雾中含有40种以上的致癌物质，是造成包括肺癌在内的各种癌症的重要原因。家人或周围人因被动吸烟※而受害的现象也是不容忽视的。

有人做了一项调查，以35～60岁年龄段的男性为对象，经过5～16年的观察，结果证明吸烟是2型糖尿病的重要致病原因之一。

假设非吸烟者的相对危险度为1，发病危险度会随着吸烟者每天吸烟数量的增加而增大，具体是1～20支为1.88，21～30支为3.02，30支以上为4.09。

另一项调查也表明，吸烟者与非吸烟者在血糖和血中胰岛素浓度方面也存在明显的差异。吸烟会使胰岛素抵抗性上升，1天吸20支以上的人的胰岛素功能大约只有非吸烟者的一半，产生作用的时间也延迟1倍左右。

由此可知，对健康人有害的香烟，对糖尿病及准糖尿病患者的危害就更为明显。

成功戒烟的秘诀

下决心戒烟，一定要在10天内开始实施，最好避开自己精神紧张的繁忙时期。

戒烟之初是很痛苦的，尼古丁在体内消失需要2天左右，尼古丁代谢物质的消失需要4～5天。断瘾症状会在代谢物质消失的1周左右有所减缓，其后身体状况会逐渐好转。

戒烟的秘诀是将烟灰缸处理掉、书写戒烟宣言等，再加上养成运动的习惯来使心情得到转换，这些都是很有效的方法。

1 血压恢复正常

没问题！

成功戒烟的好处
戒烟后的健康效果是毋庸赘言的，使人神清气爽。

2 血液流动恢复顺畅

顺畅！

顺畅！

米饭

好香啊

3 味觉、嗅觉等恢复

戒烟期间出现焦躁或注意力低下时，可采用深呼吸或进行伸展运动的方式；感觉便秘或食欲不振时，要充分补充水分，多吃含丰富食物纤维的食品。

　　想使用戒烟辅助药物的人，可选择市面上出售的尼古丁糖或医生处方的尼古丁贴剂。另外，可服用的戒烟辅助药剂也是被认可的，所以不妨去戒烟门诊咨询医生。

　　成功戒烟后，会产生以下效果：❶血压恢复正常；❷血液流动恢复流畅；❸味觉、嗅觉等恢复；❹不再气力不济；❺受家人欢迎、喜爱等。从健康的角度来看，没有可使自己既吸烟又不损害健康的好办法，所以，一定要毅然地戒烟。

4　不再气力不济

肺健康

5　受家人欢迎、喜爱

没有烟臭味儿了耶

控制牙垢能预防糖尿病

每天只需认真审视自己的生活习惯，即可对血糖进行良好的控制。

您一定想不到，我们每天都要做的"刷牙"也会有这样的作用。每天刷牙不仅能预防虫牙，还可有效预防牙周病。对糖尿病患者来说，牙周病是其大敌，对牙周病有必要采取有效的对策。

被称之为牙垢的菌斑附着在牙齿上，牙龈会产生炎症（牙肉炎），牙周病恶化后，致病细菌会通过血管遍及全身，进而引起动脉硬化和心脏病等不同性质的疾病。

一般情况下，糖尿病患者更容易患上牙周病。现在，已经证明牙周致病菌会导致葡萄糖的代谢障碍，与糖尿病的前期阶段息息相关。

针对高血糖与牙周病的因果关系，目前有各种各样的研究和试验。很多报告显示，治愈牙周病以后，糖尿病患者的血糖有所下降（人们认为牙周病的致病菌被清除后，胰岛素的功能得到了提高），所以希望大家积极地呵护自己的牙齿。

由于牙齿上的细菌最容易在睡觉时增殖，夜晚就寝前一定要用正确的刷牙方法细致地刷牙。为了能够将牙刷很难接触到的牙缝间的污垢清除掉，要尽量使用牙线。每半年到医院接受一次专业医生的定期体检，确认牙周组织和口腔是否洁净，请医生除掉牙石，这些做法也是非常重要的。如果有虫牙，要尽量在未恶化之前进行治疗。

能够清除牙垢的刷牙方法

在各种清除牙垢的方法中，能直接摩擦牙垢的方法是最有效的。

1 正确的刷牙方法

❶ 将牙刷的毛尖紧贴在牙齿上来刷。
❷ 稍微用力，利用摩擦力来刷牙。
❸ 微微地活动牙刷。

不仅仅是牙面，牙齿与牙龈之间，牙齿的齿缝也要充分刷到。

2 比斯刷牙法

刷毛与牙面呈45°，刷毛头指向牙龈方向，使刷毛进入龈沟和邻间区，部分刷毛压于龈缘上做前后向短距离来回刷动。

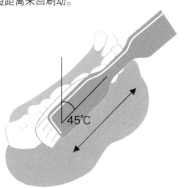

3 旋转式刷牙法

从牙龈往牙冠方向旋转刷。

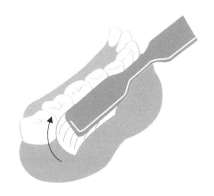

4 牙线的使用方法

所谓的牙线是线状的齿间清洁工具。能够滑入齿间，可以轻而易举地清除掉牙刷接触不到的牙垢。

牙线分为可缠在手指上使用的类型和带有托架的类型，应在咨询医生之后，选择适合自己的牙线。

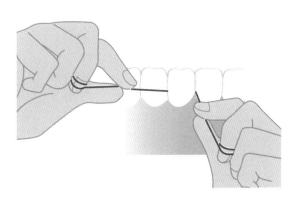

🥄 保持规律、充足的睡眠

随着年龄的增长和工作生活的压力，有的人睡眠时间在不断缩短，约10%的人平均睡眠时间在6小时以下。但是，一般情况下睡眠时间不足7～8小时，是不能消除疲劳的，激素也很难正常分泌。

慢性的睡眠不足会导致血糖和血压的上升，所以，要努力创造一个可获得高质量睡眠的环境。

有效获得高质量睡眠的方法是定时就寝和起床。人体以一天为周期，将睡眠纳入这种节奏，培养定时睡眠、定时起床的习惯是非常必要

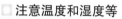

消除失眠的方法

☐ 注意温度和湿度等

一般情况下，能使人舒适入睡的室温为18～22℃。但是，室外温度与室内温度相差过大也会使人的睡眠出现问题。注意不要把空调、风扇的温度调得与室外温度相差过大。

☐ 睡前饮酒要有所节制

为了使自己睡好，有的人会在睡前饮酒。但酒精会使人的睡眠变浅，所以，饮酒最好要有所节制。

☐ 空腹睡不着时，在不增加胃肠负担的前提下，可以简单地吃些东西

因空腹而难以入睡时，可喝一杯热牛奶，简单地吃些东西。不要太饱，因为饮食会妨碍睡眠，要加以注意。

☐ 光亮、色彩

一般情况下，如果光线过亮，会使人睡不着，如果过暗，又会使人产生不安感。通常，类似宾馆脚灯的亮度即可。另外，卧室的装饰要避免使用刺激性色彩和设计，要选择能使人沉静的色调。

的。有失眠困扰的人，首先要养成每天在相同的时间起居的习惯。

　　躺在被窝中难以入睡的人，可尝试听一些自己喜欢的、轻柔的音乐，并把音量调为适当的程度。如果有可能的话，选择可稳定心神、使人放松的旋律和节奏低缓的曲目，最好是音域较低、没有歌词的古典曲目。

　　现在市面上有许多用于治疗失眠的CD，可以从中选择自己喜欢的曲目。

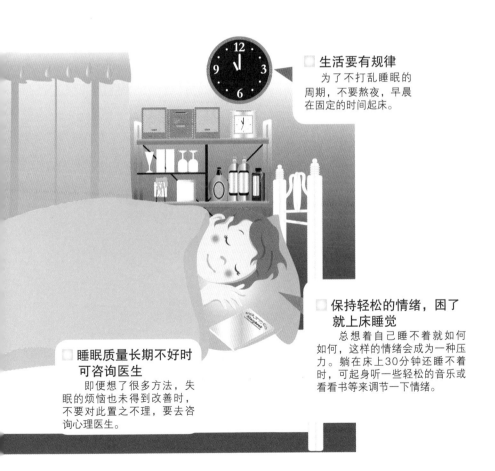

生活要有规律
为了不打乱睡眠的周期，不要熬夜，早晨在固定的时间起床。

保持轻松的情绪，困了就上床睡觉
总想着自己睡不着就如何如何，这样的情绪会成为一种压力。躺在床上30分钟还睡不着时，可起身听一些轻松的音乐或看看书等来调节一下情绪。

睡眠质量长期不好时可咨询医生
即便想了很多方法，失眠的烦恼也未得到改善时，不要对此置之不理，要去咨询心理医生。

民间疗法与常规药物治疗的相互辅助

在医学技术尚不发达的时代，人们是利用身边的植物来保持身体健康的。为了改善高血糖的状态，即使我们会重新审视自己的饮食生活或开始进行运动，但毕竟坚持每天都过着坚忍、禁欲的生活是非常困难的。因此，我们要将那些自古以来就被视作有效疗法的民间疗法作为一种辅助手段，多方面地控制血糖，给自己一个健康安心的生活。

植物具有各种各样的功用，通过对植物的熬煮，将有效成分萃取出来，服用这种植物的汤汁有助于调整身体状态。例如鱼腥草、金钱薄荷、玉米须、树皮等。

自然生长的鱼腥草具有活化血管和利尿等作用，还具有预防高血压和动脉硬化等糖尿病并发症的效果。它的煎服方法是，取野生鱼腥草的叶和茎两根（30cm），用盐水冲洗后切碎，与1g黄连一起用720ml的水进行煎熬，煎熬至总量一半时即可。在餐前的30分钟至1小时服用，每天分3次服用。

多年生的金钱薄荷具有降低血糖的功能。它的煎服方法是，取整棵干燥的金钱薄荷15g，用300ml的水煎熬至总量的一半时即可，每天分3次，空腹服用。

作为人们所熟知的食物，玉米的须子含钾较多，具有利尿作用和降低血糖的效果。煎服方法是，取15g玉米须，用一周左右的时间晾干，用600ml的水煎熬至总量的一半时即可，空腹或餐前服用，每天服用3次。

叶和树干的皮以及树根的皮均具有防止血糖上升的功能，其中树根的皮是最具效果的。它的煎服方法是，取生的树根皮50g，用450ml的水煎熬至总量一半时即可，每天分3次服用。如只能找到干燥的树根皮

用民间疗法做辅助

不仅要收集民间疗法的信息，更要以医生的诊断和治疗方法为准。

绝对不可以过分依赖民间疗法

预防高血压、利尿效果

血液流畅

时，可取干燥树根皮20g，以同样的方式进行煎熬、服用。

虽然本部分介绍的民间疗法对治疗糖尿病是有效的，但绝不要过于依赖民间疗法。如果忘记定期接受诊察或不再注射和服用治疗药物，就会使血糖控制变得混乱，甚至会导致并发症的发病或恶化，一定要加以注意。

在采用民间疗法时，一定要咨询医生，选择没有毒副作用的疗法。

关于保健食品的疗效

近年来，用于帮助控制血糖的保健食品不断增多。也许很多人都看到过"献给担心血糖高的人"等广告语。它们都是以减缓餐后血糖上升为目的的食品，并使用了一些促进胰岛素功能发挥的成分。

其中的典型成分有被称作"难消化性糊精"的食物纤维，它是将马铃薯淀粉加水分解后，经过发酵处理的水溶性食物纤维。如果在进餐时摄取，它就会在胃内吸收水分后膨胀，延缓食物从胃向肠的移动速度，而且在肠内会变成具有较强黏性的凝胶状，延迟糖质的消化吸收，可抑制血糖的急剧上升。

此外，保健食品小麦白蛋白[※]、L-阿拉伯糖[※]、蕃石榴叶多酚[※]等所含的成分对控制血糖也是有效的，在此向大家分别介绍一下它们各自的成分和功能。

将小麦粉所含的蛋白质进行精加工之后制造出来的小麦白蛋白具有抑制 α-淀粉酶功能的作用，而 α-淀粉酶会将淀粉分解成葡萄，能防止淀粉转变成葡萄糖，抑制血糖的上升。

L-阿拉伯糖是玉米、稻米、小麦等谷物以及苹果等食品中所含的一种糖质，它与普通砂糖不同，它在小肠内的吸收率较低，可抑制餐后血糖的急剧上升。

从蕃石榴叶中提取的多酚具有阻碍麦芽糖酶[※]（分解糖质中的麦芽糖）、蔗糖酶[※]（分解蔗糖）、α-淀粉酶[※]（分解淀粉）等分解作用，因此可抑制血糖的上升。

保健食品的许可条件是非常苛刻的，必须通过对有效成分的实际验证以及大量的判定标准，在安全性方面是能够得到保证的。尽管如此，采用药物疗法或接受胰岛素治疗的人，在食用保健食品之前也一定要咨询医生。

此外，食用保健食品后如感到不适或病情恶化，应立即终止使用，迅速咨询医生。

保健食品的成分与作用

利用保健食品来补充餐桌上营养的不足，这一观念在人们心目中已经扎根。

保健食品指的是用以补充维生素、矿物质、氨基酸等特定营养素的营养补助剂和营养补助食品的总称。

这些食品有片剂、颗粒以及液状等，种类很多，但由于不是药物，

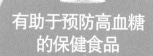

有助于预防高血糖的保健食品

不要过于依赖保健食品，要将其与运动疗法和饮食疗法等巧妙地结合起来。

🔲 **香蕉茶**

香蕉是产于热带和亚热带的植物，在其原产国菲律宾，由于其有益于健康，从几世纪前人们就开始将香蕉的茎做成茶饮用，并一直认为它具有降低血糖值的效果。在菲律宾，香蕉被指定为医疗用植物，用于治疗糖尿病。其后，通过更进一步的详细研究显示，香蕉叶含有一种叫做科罗索酸的特有成分，该成分可抑制餐后血糖值的上升，具有与胰岛素相似的作用。

其中还包含没有明确科学依据的成分，选择时一定要注意。

对成分和含量的标准等有严格规定的综合维生素剂是药品，只能在药店才能购买到。而那些成分比药品含量少、作用低的产品在便利店即可买到。但是，不要因为能轻易买到就可以胡乱食用，食用时一定要咨询医生。

▢ 匙羹藤茶

它正式的名称是Gymnema sylvestre，是原产于印度的常绿藤本植物，在中国南部等地也有出产。在印度的传统医学中，自古以来就将匙羹藤的叶作为有效治疗糖尿病或肥胖的草药来使用。饮用匙羹藤茶后，30分钟时间内人会感觉不到甜味和苦味，而对甜味食品失去食欲，所以具有防止肥胖的效果。这种作用是匙羹藤特有的匙羹藤酸带来的，可延缓小肠对糖的吸收，还具有刺激胰脏的β–细胞的生长、促进胰岛素分泌的功能。

▢ 雪莲果茶

雪莲果是原产于南美安第斯山区的菊科植物，自古以来就在世界上屈指可数的长寿地区——比尔卡班巴(Vilcabamba)栽培，球根可食用，叶子作为民间药材使用。可以生吃的球根，含有绿原酸※和黄硷素※等抗氧化物质，干燥后可作为茶来饮用。叶子中含有丰富的多酚、钾、钙、镁等矿物质营养素。

近年来发现，雪莲果叶所含的多酚中有一种具有与胰岛素相似的功能、可抑制餐后血糖上升的成分。此外雪莲果茶还具有活跃脂肪代谢的作用。

桑叶茶

桑叶除了含有维生素B$_1$、维生素A物质、胡萝卜素外，还含有一种叫做DNJ（脱氧野尻霉素）※的特有成分。

虽然自古以来人们就认为桑叶具有降低血糖的功能，但是直到近年来才发现，这是因为DNJ与小肠的糖分解酶α-葡萄糖苷酶※结合后，会阻碍糖分解。

DNJ易溶于水，只需使用热水即可将有效成分提取出来。由于有效成分在泡沏第二遍桑叶茶时几乎会完全消失，大家只需品味第一遍桑叶茶即可。

甲壳素与壳聚糖

甲壳素指的是从螃蟹的壳中提取出来的不溶性食物纤维。壳聚糖是对甲壳素进一步加工而成的衍生物，所以，有的壳聚糖是水溶性的。将二者归纳起来称之为甲壳素与壳聚糖。它们在体内不会被吸收，具有将胃肠内多余的糖质、脂质、废物等排泄出去的功能，因此，可抑制餐后血糖的上升，还能减少血液中的胆固醇和甘油三酯等，具有消除便秘、强化免疫力和降低血压等效果。

菊糖

在菊芋（即洋芋头）的块根中含有丰富的多糖类成分菊糖。由于它可以抑制肠对糖质的吸收，所以可防止血糖的急剧上升，缓解分泌胰岛素的胰脏负担，还具有减少胆固醇和甘油三酯以及改善肥胖等作用。

精氨酸

精氨酸是氨基酸的一种，会在体内生产一氧化氮，具有除去活性氧、预防动脉硬化、高血压及肝病变等作用。也有研究报告显示，它能促进胰岛素的分泌，提高胰岛素的敏感性，因此，大家要适量食用含丰富精氨酸的鸡肉、虾、大豆和芝麻等食品。此外，它还能促进成长激素的分泌，减少脂肪，强健骨骼，使人恢复年轻等效果。

α-硫辛酸

α-硫辛酸具有强大的抗氧化作用，它有一种可使内脏和皮肤等的毛细血管保持活力、活跃体内代谢的成分。原来被用作医疗用品，2004年被允许作为食品来加以利用。但在体内产生的α-硫辛酸的量极其微小，可利用保健食品来加以补充。

铬

铬是促进糖质和脂质等代谢的重要矿物质。具有使胰岛素的作用活性化、降低血糖、促进脂质代谢、减少血液中的胆固醇和甘油三酯等效果。如果体内含铬不足，便不能对血糖进行良好的控制，因此一定要注意摄取。动物的肝脏、虾、糙米、豆类、蘑菇等食材中含有铬。

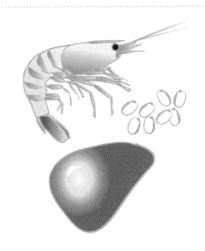

饮食养生的智慧④

绿茶与咖啡的功效

许多人都已习惯在工作或家务间隙，喝一些绿茶或咖啡（糖尿病患者应远离咖啡）。

绿茶具有独特的涩味，这种涩味的来源是多酚的一种——儿茶素。儿茶素可缓解糖在肠内的吸收，具有抑制餐后血糖上升的效果。

另一方面，咖啡似乎给人们留下了一种对身体不好的印象，但是那些糖尿病尚未发病的人在休憩时喝上一点，还是会对身体有益的，前提是每天喝3～4杯。它的效果在于可降低2型糖尿病的发病率、降低血压、预防动脉硬化等。

● **绿茶的最佳食用方法**

为了有效摄取绿茶的营养成分，可直接吃茶叶。可尝试用茶叶专用的磨粉器将绿茶碾磨成粉末状，拌在米饭内或酸奶内食用。

● **建议大家使用冷水沏茶**

在初秋采摘的绿茶叶中含有一种可降低血糖的叫做多醣※的成分。由于多醣怕热，所以要用冷水来沏，最好在其风味和效果尚未降低的12小时以内喝完。

第6章

糖尿病的最新治疗方法

得了糖尿病之后，充分了解和把握自己的病情非常必要。不仅如此，还有必要深入了解治疗的方法，这样才能判断出什么是自己最适当的治疗方案。

本章将向大家介绍有关糖尿病的最新治疗方法。

怎样治疗糖尿病

●饮食疗法和运动疗法

在治疗糖尿病方面，主要有"以控制血糖为目的的治疗"和"针对并发症的治疗"两大类。在这里向大家介绍的是可通过自己的努力在某种程度上使症状得到改善的"以控制血糖为目的的治疗"。

"以控制血糖为目的的治疗"有：❶饮食疗法；❷运动疗法；❸药物疗法。药物疗法指的是口服药物疗法和注射胰岛素疗法等。

至于第3项的药物疗法，虽然有人在某个阶段需要采用药物疗法，但即使是需要采用药物疗法的人，如果是2型糖尿病，同样需要正确采用饮食疗法、运动疗法来改善身体的机能，这样才可以有效控制血糖。

◉饮食疗法

理解了这一点，就需要在生活中将饮食疗法和运动疗法作为最重要的治疗方法加以应用。

◉运动疗法

◉药物疗法

处方

●坚持治疗的同时要定期检查

在糖尿病的治疗过程中，血糖能否得到良好控制、是否引发并发症等，对自己病情的详细掌握与否非常重要。为此，定期地接受各种检查是必不可少的，其中最为重要的是糖化血红蛋白（HbA1c检查）。

HbA1c检查是了解红细胞内蛋白质的血红蛋白以何种比例转变成糖化血红蛋白(HbA1c)的检查。血红蛋白原本具有与氧结合后将氧输送给全身细胞的功能，但如果血糖高，血液中的葡萄糖与血红蛋白结合后，会转变成糖化血红蛋白。

由于人体内红细胞的寿命一般为120天，一旦产生糖化血红蛋白，在细胞死亡前，血液中糖化血红蛋白含量仍会保持相对不变，因此，糖化血红蛋白的含量反映过去1~2个月中患者的血糖控制情况。

通过定期接受检查，就能够了解自己对血糖控制的程度。将检查数据记录在专用的笔记本上，这样就可以做到随时确认。

另外，还有必要进行眼底检查※、尿蛋白测定※、跟腱反射测试※等，这是应对糖尿病三大并发症的必要对策。

虽然没有症状表现出来，病情却在不知不觉间恶化，这是糖尿病的真正可怕之处。所以，要定期到医院接受诊察，绝对不可对各种检查产生懈怠。

●以HbA1c7%以下为控制目标

HbA1c是糖尿病治疗的重要根据。被诊断为糖尿病之后，要坚持定期接受该项检查，对血糖进行良好控制。目标是将HbA1c控制在7%以内（如果可能的话，要低于6.5%）。

> HbA1c反映过去1~2个月的血糖控制情况；果糖胺、糖化血清白蛋白反映过去2~4周的血糖控制情况；1,5AG表示过去数日间的控制结果。另外，血糖值表示检查时的血糖水平。

血糖值

1,5AG

果糖胺、糖化血清白蛋白

HbA1c

2个月前　　　　　　　　　　1个月前　　　2周前　　检查

●HbA1c之外的血糖控制检查

有时还会采用以下几项检查来检查血糖是否得到控制。

果糖胺检查

标准值　210~290μmol/L

通过测定葡萄糖与血液中的蛋白质结合形成的物质——果糖胺含量来检查血糖的变化。能够捕捉到HbA1c不能反映的短期血糖变化，可有效确认药物所产生的效果状况。

糖化血清白蛋白检查

标准值　11%~16%

通过对血中蛋白质的主要成分蛋白与葡萄糖结合程度的检测来检查血糖的变化。能够捕捉到HbA1c不能反映的短期血糖变化，可有效确认药物所产生的效果状况。

1,5AG检查

标准值　14.0μg/ml以上

检查与血中葡萄糖相似的成分1,5-脱水葡萄糖醇（1,5-anhydroglucitol）的血中浓度。血糖值上升后，1,5-脱水葡萄糖醇的浓度会降低，有利于把握过去数日间的血糖变化。通过这种检查也能够发现短期的控制恶化情况。

●在家自我检查的方法

前面我们简单介绍了了解血糖控制状态的HbA1c检查，下面将为大家介绍可在自家进行的"尿糖检查"和"血糖检查"等方法。

尿糖检查是使用市面上出售的试纸来进行的检查，任何人都可以轻松做到。但是，一般情况下，如果尿糖不超过9.4mmol/L，大多是检查不出来的，所以，不要因为没有产生尿糖就做出"糖尿病好了"或"血糖控制得很好"等判断。

通过血糖检查可以了解到检查时的瞬间血糖值。虽然通过HbA1c检查，可以了解到一定期间的血糖控制状态，但是利用血糖检查，却可以使饮食、运动、压力等因素带来的瞬间血糖变化一目了然。

如果能够做到自我检查血糖，就能够加深认识我们的行为（例如饮食、运动、压力等）对血糖产生的影响，以及对病情与血糖的关系的理解。这样，治疗时的信息、根据也会更充实一些。可以说，认真检查血糖对治疗糖尿病非常有帮助。

如果希望做更精密的检查，可利用家用血糖测试仪。有了它，就可以在自己家里轻松地进行检查了。

大多数检查是使用专用针刺破指尖，采集冒出的微量血液进行检查。如果医生认为"需要患者本人进行血糖检测"时，医生会在仪器的选择、购买、使用方法等方面提出建议。

有一种检测仪器无需采血，只要将手指放在规定的位置上即可测定血糖。只要详细地了解血糖的变化，就可以自己调节注射胰岛素的分量，或将危险的低血糖状态防患于未然。

●尿糖的检查方法

在早餐前进行。首先要在检查前的20～30分钟排尿，尽量清空膀胱。在再一次排尿时进行检查。

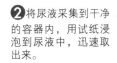

❶准备好药店出售的糖尿病诊断专用试纸和钟表。

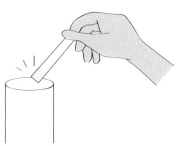

❷将尿液采集到干净的容器内，用试纸浸泡到尿液中，迅速取出来。

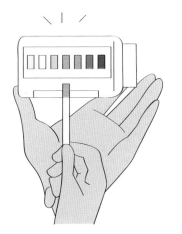

❸试纸上沾有多余的尿液，可利用容器的边缘清除掉（没有容器而只能在排尿时浸泡时，要将试纸迅速地从尿中拿开，清除多余的尿液）。

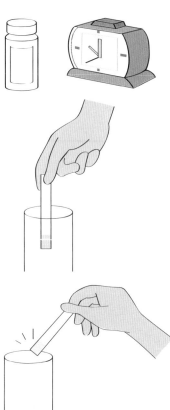

❹准确测量试纸所规定的时间，将反映出来的颜色与色调表相对照，取最接近的数值。

糖尿病的药物疗法
●什么时候需要采用药物疗法

在治疗1型糖尿病时，注射胰岛素是不可或缺的。如果是2型糖尿病，在利用饮食疗法和运动疗法不能对血糖进行充分控制时才会使用药物疗法。也有人认为，为了将并发症的危险性降至最低，最好积极地进行药物治疗。

2型糖尿病的药物疗法使用的药物分内服药和胰岛素注射两种。

在很好地进行饮食疗法和运动疗法之后，血糖也未如愿下降时，医生首先会开出口服降血糖药。

在服用口服降血糖药物也未获得预期效果、出现肝病变或肾病变、因其他疾病或受伤而需要进行手术或发生严重感染症的患者以及妊娠时，才会使用胰岛素注射治疗，这样能够更严密地控制血糖。

1型糖尿病患者需要终身注射胰岛素，而2型糖尿病患者则可根据血糖的控制状况将胰岛素注射替换成口服药物，甚至有时无需进行药物治疗即可转好。因此，在医生的指导之下制定切实有效的治疗计划非常重要。

●口服降糖药有哪些类型

用于控制血糖的口服降糖药有5种类型。一是通过刺激胰脏的β-细胞来促进胰岛素分泌的"磺酰脲类"；二是通过抑制从肝脏输往血液中的葡萄糖量来防止血糖上升的"双胍类"；三是通过在小肠上部抑制淀粉和砂糖等糖质吸收的方式来缓解血糖上升的"α-葡萄糖苷酶抑制剂"；四是改善胰岛素抵抗性的"噻唑烷衍生物"；五是使胰岛素分泌时机提前的"那格列奈"和"米格列奈"。

这些药物均是处方药，与其他药物相同，并不是服用越多越有效。只有每天在固定的时间、服用指定的药量，才会使血糖的变化接近于正常人。

药效是因人而异的，有的人只需一种药物进行治疗，有的人则需要多种药物并用进行治疗。

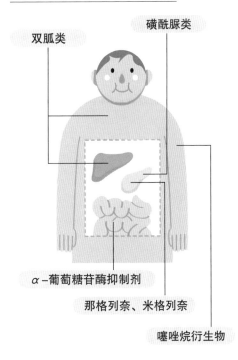

●5种类型的降血糖药物

双胍类

磺酰脲类

α-葡萄糖苷酶抑制剂

那格列奈、米格列奈

噻唑烷衍生物

●什么是胰岛素疗法

　　胰岛素疗法指的是利用注射胰岛素的方式来补充体内胰岛素不足的治疗方法。

　　胰岛素制剂有5种类型，它们分别是超短效型、短效型、中效型、预混型和长效型。如字面一样，这五类药是按照注射后产生作用的时间和效果的持续性等进行分类的。

　　人们认为如果胰岛素制剂的研究得到进一步进展，只要能够保证良好的血糖控制，那么，患病二三十年内也不会发生并发症。

　　胰岛素是蛋白质的一种，如果作为内服药来使用，会被胃肠消化掉，不能很好地产生药效。因此，采用皮下注射的方式直接注射到血液中，药效才能持久。不过，现在也在研究物化吸入药物、滴鼻药、滴眼药等非注射的治疗药物，而且有一部分已经被实际应用。

◉ 制剂的种类

①　超短效型

诺和锐（NovoRapid）注、Humalog

②　短效型

诺和灵® (Novolin®)、Penfill® 、Humacart® 、InnoLet®

③　中效型

诺和灵® (Novolin N) 注、Penfill N注、Humacart N注、InnoLet　N注

④　预混型

诺和灵30注(Novolin 30)、Penfill 10～50R注、Humacart3/7注、诺和锐30MIX注（NovoRapid30MIX ）、HumalogMIX25注、HumalogMIX50注

⑤　长效型

Lantus注、Levemir注

※ 注→注射液

●胰岛素的注射方法和注意事项

　　胰岛素注射治疗是一种比较普遍的糖尿病治疗方法，几乎每10个糖尿病患者中就有1人需要接受胰岛素注射治疗。并不是需要注射胰岛素的糖尿病人就是重症患者，大可不必对此怀有不安感。

　　为了使体内出现与健康者相同的血糖变化，胰岛素注射需要每天进行。一般情况下，每天分2～4次注射胰岛素，这种情形目前有所增多。

　　笔式注射器的构造如同钢笔可更换墨水筒一样，它也是可以更换装有胰岛素制剂的"墨水筒"，所以，每次将胰岛素制剂吸入注射筒也是不费事的。刚开始使用时，医生或专家会就使用方法给予详细的指导，所以不必担心。

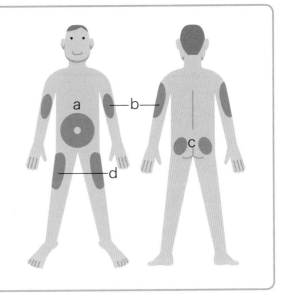

胰岛素的注射部位及吸收速度

　　通常是在皮下组织进行胰岛素注射的。用手抓起注射部位的皮肤，将针头垂直刺入即可进行皮下注射。

　　适宜进行注射的部位有a腹部、b上臂、c臀部、d大腿等。吸收速度的快慢也以a、b、c、d为序。

　　吸收较快而且比较稳定的腹部是最适合进行注射的部位，但如果每次都在同一部位注射，该部位会变硬，所以每次注射时都要偏离原部位1cm左右。

糖尿病治疗过程中的注意事项
●注意脚部保健

糖尿病神经病变是糖尿病的并发症之一，特征是发病之初会有身体的末端感觉发冷、麻木、疼痛等症状，随着神经纤维损伤的加剧，人会失去痛感和麻木感。

在这种状态下，鞋磨伤或皮肤受伤等微小创伤，人是不会产生痛感的，因此会不知不觉地忽视创伤，这是造成足坏疽的最危险诱因。

实际上，每年有数千名的糖尿病患者因小伤而导致足坏疽，乃至截肢，所以，一定要注意。

为了预防感染症，没有住院的糖尿病患者也要保持脚部和全身清洁，养成经常检查身体是否有伤的习惯。

与糖尿病有关的脚部病变，除了鞋磨伤和皮肤受伤导致的坏疽，还有脚和脚趾变形、趾甲浑浊或变厚的甲真菌病、趾甲弯曲、趾甲周围的炎症、鸡眼、皮肤溃疡、烧伤等。

这些脚部疾病就是源于糖尿病神经病变，此外，还有动脉硬化、血糖高以及白细胞的免疫能力降低导致对细菌的抵抗力减弱等原因。

发生神经病变以后，脚部的肌肉和骨骼等部位的平衡状态会被打破，脚和脚趾等部位由于承受多余的负担而发生变形。脚趾和脚跟等部位承受压力之后，出现溃疡和坏疽的可能性增大。

另外，动脉硬化加剧后，血液不能充分地流到脚尖，出现伤口难以愈合或血流障碍性坏疽等现象。

白癣菌进入脚指甲以后，趾甲会发白、浑浊、变厚，如果对其置之不理，趾甲的根部就会被破坏，有时还会出现血肿。

有的患者感觉脚发冷时，常常会长时间使用电热暖具等使脚温热起来，这有可能造成烫伤。因为发生神经病变的患者的脚部感觉会变得迟钝，往往感觉不到洗澡水的热度而被烫伤。

但是，即使感觉变得迟钝或血流不畅，只要能够注意自己的脚部变化，坚持不懈地进行脚部护理，就不会患上足溃疡或坏疽等顽疾。

● 脚部检查的要点

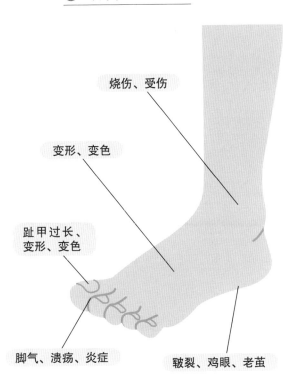

烧伤、受伤

变形、变色

趾甲过长、变形、变色

脚气、溃疡、炎症

皲裂、鸡眼、老茧

●掌握"患病日"守则

您听说过"Sick Day"这个词吗？英语意为"患病日"。所谓的"Sick Day"指的是糖尿病患者罹患上其他疾病的日子，包括诸如感冒、腹痛、腹泻等普通的容易痊愈的疾病。

生病的时候，血糖会上升。如果只是采取普通治疗方式，有时会出现血糖恶化。

对糖尿病患者来说，"患病日"是造成血糖不稳定的因素之一，有时身体因发生脱水症状而产生显著的高血糖或酮酸中毒※，所以要备加注意。

细胞从葡萄糖处得不到能量时，身体会将蓄积在肌肉和肝脏等部位的糖原进行分解和利用。如果这些糖原也取之殆尽，接着便会开始分解肌肉或脂肪等。

脂肪被分解作为能量来使用，会生成一种叫做"酮※"的强酸性物质。酮的浓度超过一定程度后，血液就会呈酸性。如果浓度进一步增大，就会出现恶心、腹痛等症状。这时如果不采取补充胰岛素等适当处置，就会导致脑的功能降低甚至意识模糊，很快陷入"酮酸中毒昏迷"。

患者在患病日一定要充分注意"脱水"和"饮食摄取不足"这两种发病因素，并掌握具体的应对方法。

具体来说，每隔1～2小时要补充一次100ml以上的水分，注意每天饮1～1.5L以上的水分。进餐时，最好选择水或茶等不含糖质的饮料。难以下咽时，要尽量选择菜汤、运动饮料等来补充糖质或电解质等。

没有食欲时，要尽量吃平时吃惯了的、口感好、易消化的食物，例如米粥、果汁、冰淇淋等，优先摄取糖质和水分。

为了避免在体内的脂肪分解，要保证每天摄取的热量在3344KJ以上。注意身体的保温和安静，原则上禁止运动。正在接受胰岛素注射治疗的患者，不能从饮食中摄取足够的水和热量时，也不要凭借自己的判断来终止胰岛素的注射，要认真地咨询医生。

◉ 基本的"患病日"守则

❶ 保温、安静

热　热

❷ 尽早接受诊疗或与医生联络

❸ 检查病情

CHECK!

❹ 摄取食物、水分、电解质

●提防低血糖

对那些即使进行饮食疗法和运动疗法也未能将血糖控制下来的患者来说，口服降糖药和胰岛素制剂是不可或缺的。

但是，身体必需的胰岛素用量并不是始终如一的，在各种各样的状况下会出现微小的变化。由于口服降糖药和胰岛素制剂并不能完全应对这种变化，血糖值有时会降低到不必要的程度。这就是所谓的"低血糖"。

发生低血糖之后，会出现如第173页所示的症状。此刻，要及时摄取5～10g葡萄糖或含葡萄糖的清凉饮料水150～200ml。在患者即将出现意识模糊而本人不能应对的时候，要请周围的人呼叫救护车运送至医院。家人在场时，在救护车到来前要将砂糖涂抹到患者的嘴唇和牙齿之间。如果有荷尔蒙制剂"胰高血糖素"，可给患者注射1小瓶（1mg）。

容易发生低血糖的状况有：饮食过晚、饮食量少、糖质的摄取量少、进行了剧烈的身体活动等。但造成低血糖的原因和状况因人而异，因此，发生低血糖时要把状况和原因详细告诉医生，并提高避免再次发生低血糖的预防意识。

另外，正在使用口服降糖药或胰岛素制剂的人要随时携带葡萄糖或可转变成葡萄糖的物品，以备万一。

● 低血糖的症状表现

❶ 血糖值低于正常范围，开始出现的症状有：
发汗、不安、心悸、手脚颤抖、脉搏加快、面色苍白等

心悸

发汗

手脚颤抖

❷ 血糖值为2.9～3.7mmol/L时的症状有：
头痛、目翳、空腹感、发困（打哈欠）等

目翳

空腹

空腹感

❸ 血糖值低于2.9mmol/L时的症状有：
意识模糊、痉挛、昏迷等

昏迷

意识模糊

●旅行时的注意事项

糖尿病患者也想和健康人一样出去旅游，这是很正常的想法，而且还有很多人会因为工作关系需要出差。

这时要注意的是，首先在旅行之前要将自己的旅行计划和行程内容等告诉主治医生，接受主治医生的指导。

正在接受胰岛素注射治疗的人，要多带点胰岛素制剂，而且要分别存放，以备行李丢失等情况的发生（例如乘飞机出行时，除了将胰岛素制剂装在行李仓的行李中，还要将部分胰岛素制剂随身携带，以免行李仓内发生低温冻结）。

另外，还要在身边准备好可立即服用的葡萄糖或含有葡萄糖的果汁，以备突发低血糖时使用。

同时，携带医疗保险卡或糖尿病患者医疗卡※也是必不可少的。去海外旅行时，要携带用英文或当地语言书写的糖尿病患者医疗卡。

而且，在旅行目的地会有很多诱发食欲的美味珍馐等着您。这时，人们往往会带着一种从日常生活中解脱出来的心态而放开胃口。但是，对那些美味珍馐的享受还是要适可而止，注意不要进食过量或饮酒过量。

相反，对外出时间较多的人来说，饮食的间隔会过长，因此有必要随身携带一些食物。

如果能够事前将自己患有糖尿病的情况告诉宾馆或航空公司，有时他们会提供相应服务，制定预防措施，甚至会特别制作一些可以改善糖尿病症状的饮食，所以，这样的机会也要适当地加以利用。

●绝对不可以中断治疗

治疗糖尿病时，血糖能否控制会随治疗的进展程度发生很大变化。

许多人往往在坚持治疗之后病情出现好转时，觉得"已经没有自觉症状了"，就随便地做出"已经痊愈了，没必要去医院，也没必要再治疗"的判断，这是非常危险的。

因为不良的、混乱的生活习惯是糖尿病的重要致病因素，所以，好不容易改正混乱生活习惯而出现好转的病人，恢复到原来恶劣的生活习惯会再度出现血糖控制紊乱，会加重病情恶化。

在治疗方面，一定要认真听取医生的建议，绝对不可以根据自己的主观判断来中断治疗。

●一病息灾，做健康达人

正如前面反复阐述的，利用适当的治疗，改善生活习惯来控制血糖是十分可行的。但是，糖尿病并不是通过手术或服用药物等方式即可治愈的疾病。所以，即使血糖降低至目标值，而且处于稳定状态，也必须终身坚持控制血糖。

或许由于这个原因，有人觉得患了糖尿病是人生不幸的开始。但如果能够遵从医嘱，以积极的生活态度去控制血糖，还是很有可能健康无忧地生活的。

另外，以控制血糖为目的的"有规律的生活、营养均衡的饮食、适当的运动"等习惯本身绝不是什么坏事。这样的生活方式对保持身体健康来说是非常理想的，还有助于预防和治疗高血压、高脂血症、痛风以及其他生活习惯病。

当然，"一生无病无灾"是非常理想的，但以糖尿病为契机，使自己将来的人生在"一病息灾"的状态下度过，也不是不可能的。

因此，不要否定患有糖尿病的人生。"正因为得了糖尿病，才得以对自己的身体状况进行切实的管理，才知道了那些可使自己保持健康的窍门"，要带着这种积极的态度去面对糖尿病以及治疗过程。这样，才能使自己将来的人生变得更健康、更有意义。

附录

糖尿病患者医疗卡
（可将本页剪切下来使用。）

我是糖尿病患者

当我失去意识或出现奇怪的言语或行为时，请立即给我服用我所携带的砂糖或含有砂糖的清凉饮料水或糖水。并且拜托您拨打120，将我送到最近的医院。

我的名字是

_____

我的联络地址是

电话 _____

我的定点医院是

_____ 市区街

_____ 医院

_____ 科

电话 _____

主治医生 _____

I take medication for diabetes

If I am behaving abnormally, I may have hypoglycemia as a result of my medication, which may include insulin. If I am awake, please give me sugar (glucose) in some form, such as orange juice or any sugar-containing drink. My condition should improve within 10 minutes.

My name

_____

My telephone number

tel _____

My clinic (hospital) name

_____

Clinic (hospital) telephone number

tel _____

My doctor's name

_____

注：此卡是以日本糖尿病学会编著的《糖尿病治疗手册（改订新版）》为基础编制而成的。建议糖尿病患者随身携带，以备万一。

姓名
_____

住所
_____

电话
_____

出生年月日
_____

填写接受诊察时所必需的其他信息

- -

Name
_____

Address
_____

Telephone number
_____

The data of my birth
_____

Please write your data of medications

病名及医疗用语解说

● 第1章

22页

血糖值

指的是血液中的葡萄糖浓度。每升血液中的葡萄糖含量以mmol表示。在预防糖尿病发病方面，保持血糖值正常，不仅仅是糖尿病患者，对于处于糖尿病初期阶段的人也是非常重要的。

甘油三酯

是血液所含脂质的一种，会被作为身体活动时的热量源来使用。那些未被用作热量的甘油三酯会被运送至皮肤下面或腹部内脏周围的脂肪组织，分别成为皮下脂肪、内脏脂肪等。

高密度脂蛋白胆固醇

胆固醇是维持健康身体所不可或缺的物质。分为被称作是"好胆固醇"的高密度脂蛋白胆固醇和"坏胆固醇"的低密度脂蛋白胆固醇两种，它们均起着重要的作用。高密度脂蛋白胆固醇起着将血管中的胆固醇回收至肝脏的作用，低密度脂蛋白胆固醇会通过血管为身体各组织输送必要的胆固醇。

心肌梗死

为心脏的肌肉（心肌）供给

血液的冠状动脉出现堵塞后，由于血流的中断，造成心肌坏死所导致的疾病。

脑卒中

脑部的血管堵塞（脑梗死）或破裂出血（脑出血、蛛网膜下出血）等血管问题导致出现脑功能病变、意识障碍等各种各样的症状的状态。

● 第2章

29页

胰岛素

是胰脏的胰岛 β-细胞所分泌的激素。血液中的葡萄糖浓度上升后，胰岛会分泌出胰岛素，它能产生推动体内细胞吸收葡萄糖的作用(结果会产生降低血糖值的作用)。

首先，肝脏细胞会将葡萄糖转变成糖原储存下来，其次是肌肉细胞将葡萄糖转变成糖原储存下来，剩下多余的葡萄糖会被脂肪细胞以脂肪的形式储存下来。糖尿病患者处于胰岛素完全不分泌或即便分泌但数量极少以及胰岛素的功能不佳的状态，因此会造成血液中的葡萄糖不能很好地被体内细胞所利用。

32页

动脉硬化

动脉的血管变厚、变硬，脂质和细胞等附着在血管壁内侧后，形成血管内腔变窄的状态。

脑梗死

输向脑部的血流减少或出现堵塞后，脑部活动不可或缺的氧或葡萄糖会出现短缺的状态，这样会造成脑细胞死亡。这种现象如果出现在脑的一部分，便是脑梗死。

34页

高血糖

指的是血液中的葡萄糖浓度较高的状态。健康者在空腹时血糖值为低于6.1mmol/L，即便是餐后最高时也不会超过8.9mmol/L。但是，一次检查的数值即便高于标准值，也不能立即诊断为糖尿病。

35页

尿毒症

肾功能衰竭所导致的全身中毒症状。

肾功能衰竭

是某种原因造成的肾脏不能产生作用的状态。分为功能突然停止的"急性肾功能衰竭"和功能逐渐降低的"慢性肾功能衰竭"两种。

37页

胰高血糖素

是胰脏的胰岛β-细胞所分泌的激素。血液中的葡萄糖浓度下降后，胰岛会分泌胰高血糖素，它会将肝脏细胞内的糖原转变成葡萄糖释放到血液中（结果会产生提高血糖值的作用）。肌肉细胞虽然不能将糖原转变成葡萄糖，但脂肪细胞可以将脂肪释放到血液中，其他的细胞会将该脂肪作为能量来消耗。

38页

胰岛的β-细胞

是分布在胰脏组织内的类似地图上岛屿的内分泌性细胞群。

糖原

是动物体内所储存的一种糖质（贮存多糖）。主要存在于肝脏和肌肉等部位，它会根据身体需要提供热量。

胰岛素受体

由于血液中的葡萄糖会在胰岛素的功能作用下被细胞所吸收，因此，接收胰岛素和葡萄糖的细胞必须有可与它们结合的"胰岛素受体"，这样细胞才能有吸收葡萄糖的"入口"。

39页

1型糖尿病

为胰岛素依赖型糖尿病。与成年患者相比，更多见于幼儿和青少年，人们认为是自身免疫性疾病或原因不明的因素导致胰脏β-细胞受破坏所致。该发病与生活习惯无关。

2型糖尿病

非胰岛素依赖型糖尿病。该类型糖尿病的发病除了遗传性因素，还与进食过量、运动不足、压力等生活习惯的影响密切相关。现在已经确认其与肥胖有着尤其明显的因果关系。日本的糖尿病患者大半为成年后发病的，但是，近年来，由于肥胖儿童有所增多，因此，儿童的2型糖尿病发病率明显增加。

●第3章

44页

高血压

指的是血压超过某特定范围的状态。分为由肾脏病等疾病所引起的"继发性高血压"和与盐分摄取过量等生活习惯密切相关的"原发性高血压"。

高脂血症

指的是血液中的总胆固醇和甘油三酯等超出一定范围较多或高密度脂蛋白胆固醇低于一定范围的状态。

51页

基础代谢

指的是在舒适的环境温度下，处于安静状态时所消耗的热量。该热量是保持体温、进行呼吸、心脏运动等生命体维持生命所必需的最低热量，但是，存在性别和年龄等个体差异。一般情况下，平均数值是：成年男性一天5016～6270KJ、成年女性为4180～5434KJ。基本上，其峰值是男女均为10岁年龄段，随着年龄的增长会逐渐减少，过了40岁年龄段以后会急剧下降。

54页

脂溶性维生素

我们所知道的13种维生素中，有溶于水的"水溶性维生素"和具有溶于脂肪的"脂溶性维生素"。脂溶性维生素有维生素A、维生素D、维生素E、维生素K等，这类维生素水洗或加热烹调所造成的损失较小，与油一起烹调会提高吸收率。水溶性维生素即便摄取过剩，不需要的部分也会随着尿液一起被排出体外，但是，脂溶性维生素会被肝脏等蓄积在体内，所以要充分考虑到过量摄取所带来的危险性。

66页

中效型胰岛素

中效型胰岛素是胰岛素疗法所采用的一种胰岛素制剂。各类胰岛素制剂在皮下注射后，"效果产生的时间、峰值、持续时间"是有所不同的。中效型胰岛素在注射30分钟后会产生效果，峰值时间为8～12小时，持续时间为18～24小时。

69页

抗血栓作用

指的是防止形成会使血管变窄或堵塞的要素之一——"血栓"（血液凝块）的功能。

70页

活性氧

是那些在构造上与通常意义上的氧有所不同的氧的总称。其分子结构是不稳定的，是氧化、退化的原因之一。会在生命体内给组织带来损害，是导致动脉硬化和癌症等各种疾病的原因之一。

●第4章

83页

急性代谢效应

运动时，体内的葡萄糖和脂质等被作为热量源来消耗而使血糖值降低的一种效应。

血清甘油三酯水平

血液中的脂肪被称作"血清脂质"。血清脂质中含有胆固醇和甘油三酯等，它们增加过多的状态便是高脂血症。如果血清甘油三酯水平高，动脉硬化等所带来的恶劣影响会波及到身体，因此，努力利用饮食和运动等来减少血液中的甘油三酯是非常必要的。

86页

酮体阳性

所谓的酮是丙酮(Acetone)、乙酰乙酸（acetoacetic acid）、β-羟基丁酸（Hydroxybutyric acid）的总称，是脂肪代谢时作为副产物在肝脏内生成的。通常在血液和尿液中几乎是检测不到的。因糖尿病而造成糖代谢不充分时，酮在体内会作为替代能量源加速脂肪的分解，因此，血中或尿中的酮会有所增加。因而，糖尿病患者的尿中酮呈阳性时，说明其管理不良。

118页

跑步机

是通过在电动轮带上踏步或跑步等方式来获得运动效果的设备。可通过轮带的转数和倾斜度等对运动负荷量进行调节，也可通过对从运动中到运动后的心电图变化和血压变化的观察，来检查心脏的机能和运动的耐受能力。

卧式健身车

在宛如自行车的设备上，通过滑动轮带来获得运动效果的设备。与跑步机相同，可通过对从运动中到运动后的心电图变化和血压变化的观察，来检查心脏的机能和运动的耐受能力。

●第5章

133页

胰岛素感受性

指的是胰岛素的效果状况。胰岛素的效果较好时，就是"胰岛素的感受性高"。相反，如果效果不佳，则为"胰岛素感受性低"。

胰岛素抵抗性

指的是调节血糖的激素——胰岛素功能不良的状态。

135页

交感神经

两种自律神经中的一种。运动或精神性紧张时占优的神经为"交感神经"。交感神经能使心搏率和血压升高，从而提高全身的活动能力。

副交感神经

两种自律神经中的一种。是身心均处放松状态时占优的神经。与白天相比，副交感神经大多在夜间产生作用，减少心搏率、扩张血管来降低血压的同时，会活跃在安静时非常重要的消化道的机能。

136页

精油

是从植物的花、茎、叶、树皮等提取的挥发性物质（液体），是进行芳香疗法的必需物质。精油共有300多种，每种精油均含有所提取植物的香味成分，可根据自己的喜好和目的有分别地使用。

139页

横膈膜

胸部（胸腔）和腹部（腹腔）之间的膜状肌肉。

141页

血红蛋白

红细胞所含的一种红色色素的蛋白质。红细胞会将氧输送给全身的组织，并将蓄积在组织内的二氧化碳从肺部排出，这种功能主要是靠血红蛋白来实现的。

脑血管性痴呆

因脑梗死和脑出血等脑血管疾病所导致的痴呆症。

被动吸烟

吸烟者周围的人，被动地吸入"二手烟"。

151页

小麦白蛋白

是小麦所含有的水溶性蛋白质的一种。由于其可稳定淀粉酶（分解糖质的酵素）的功能，所以可延迟糖质的消化吸收，抑制餐后血糖值的急剧上升。

L–阿拉伯糖

是玉米和甜菜等天然植物所含的糖质。其甜度是砂糖的1/2左右，具有稳定蔗糖酶（分解糖质的酵素）功能的作用。

蕃石榴叶多酚

蒲桃科低矮乔木蕃石榴所含的多酚。具有稳定糖质分解酶的功能的作用。

麦芽糖酶

饮食所摄取的糖质会向小肠

移动，在小肠内被分解成糖质的最小单位——单糖（葡萄糖等）后被吸收。麦芽糖酶是一种与糖质消化吸收有关的酵素之一，可将二糖类（两种单糖结合的糖质）分解成单糖。

蔗糖酶

与麦芽糖酶相同，是存在于小肠内的糖质消化酶，可将二糖类糖质之一的蔗糖分解成单糖。

α-淀粉酶

糖质消化酶之一，主要由胰脏分泌，能将比二糖类更多的单糖所结合的分子较大的淀粉分解成麦芽糖。

153页

绿原酸

是咖啡内含量较多的多酚，具有促进胰岛素的功能，提高糖代谢的效果。

黄硷素

是蔬菜和水果中含量较多的色素成分，是一种类黄酮，具有抗氧化作用。

154页

DNJ（脱氧野尻霉素）

是桑叶所含的成分。通常，糖质被运送至小肠以后，DNJ与存在于小肠黏膜组织内的α-葡萄糖苷酶结合后分解吸收。DNJ与α-葡萄糖苷酶在外形上非常相似，因此，糖质会与非α-葡萄糖苷酶的DNJ结合。这样一来，糖质的分解、吸收会受到阻碍，能够有效防止血糖值的上升。

α-葡萄糖苷酶

是在小肠内将麦芽糖和蔗糖等二糖类分解成单糖的酵素的总称。麦芽糖酶和蔗糖酶等均属α-葡萄糖苷酶。

156页

多醣

多醣类，绿茶所含的多醣具有降血糖的作用。

●第6章

160页

眼底检查

若要预防、发现、治疗糖尿病的三大并发症之一的"糖尿病视网膜病变"，进行眼底检查是非常必要的。使用眼底照相和眼底检查镜等来检查瞳孔深处的眼底血管是否出现异常变化。

尿蛋白测定

有助于早期发现糖尿病的三大并发症之一的"糖尿病肾病"。有时即便在尿蛋白检查中呈阴性，也会有肾病变恶化的状况发生，因此，到目前为止，很多肾病是在恶化后才开始进行治疗的。如果能进行更精密的尿中蛋白检查，就能在早期对肾脏病变程度做出判定。

跟腱反射测试

是为调查是否出现糖尿病的三大并发症之一的"糖尿病神经病变"而进行的检查。通过用橡胶锤轻轻敲击膝盖的下方或跟腱，来观察其反射。

170页

酮酸中毒

脂肪代谢会生成副产物——酮，酮在血液中增多后，会陷入酮酸中毒（血液的酸性升高）的状态。将酮所导致的酸液过多症称作酮酸中毒。

酮

在细胞陷于不能使用血糖的状况时，会试图从脂肪中获得能量。此时，作为脂肪代谢的副产物会产生酮。

174页

糖尿病患者医疗卡

标示自己是糖尿病患者的卡片。上面记载有出现低血糖时希望有人会给自己喝砂糖水或果汁，失去意识时希望有人能给自己联络医院或进行葡萄糖注射。卡片上还注有自己的住所、姓名、主治医生的联络方式等信息。

通过改善生活方式使身体各项健康指标恢复正常！

体检之后——自我
改善肝功能

定价: 18.00 元

体检之后——自我
改善甘油三酯与胆
固醇

定价: 18.00 元

体检之后——自我
改善血压

定价: 18.00 元

体检之后——自我改
善血糖

定价: 18.00 元

　　体检是为了发现一些健康中的隐患，及时排除产生疾病的危险因素。定期进行全面的体检，是自我保健的重要方式之一。目前国内慢性病人群日益扩大，定期的体检是非常必要的。可是拿到体检报告之后，面对专业的名词、晦涩难懂的指标，是不是需要一位专家来为您解读一下呢？

　　本丛书由日本著名医学教授撰写，一套4本，分别针对高血脂、肝功能、高血糖、高血压等常见病做了专家解读，图文并茂、生动实用，兼顾了医学的专业性与大众的易读性，将专业知识化解为大众所能理解的知识，从而使读者能有效预防疾病，积极配合医生进行科学的治疗。

三大免疫力

定价: 26.00元

　　人为什么会生病？国际著名免疫学专家安保彻以独到见解，用通俗易懂的语言和轻松有趣的图表，说明人体的自律神经是如何支配免疫系统，尤其是白细胞的功能，更以划时代的免疫学角度提出了效果卓著的体温、低剂量辐射刺激效应、睡眠等三大免疫力治疗法，让您轻松治好疾病，并掌握从此不生病的智慧！

颈部决定健康

定价: 18 00元

　　"全身疾病的根源在于颈部"，您相信吗？且看世界知名的脑神经外科专家为您娓娓道来。本书作者以行云流水般而通俗易懂的语言，提出了"颈部肌肉的异常使得副交感神经受到压迫，从而引发病症"，进而"治疗颈部疾病即能消除全身病痛"的观点，独特而新颖，对治疗困扰我们已久的颈椎部疾病以及一些原因不明的身体不适症状，赢得健康生活，有很好的借鉴和启发意义。

长寿的饮食　短命的饮食

定价: 22.00元

　　众所周知，饮食与人体的健康有着非常密切的关系，也就是说人的寿命与饮食中的营养成分有着密不可分的关系。虽然现代的医疗技术已经达到了一个很高的水平，但是依靠医疗手段维持的亚健康寿命并不能被人们欣然认可。本书介绍了怎样从饮食中摄取最有益于健康的营养成分，真正地延长我们的健康寿命！

TITLE：[ビジュアル版　自分で防ぐ・治す糖尿病]

BY：[带津良一、川上正舒]

Copyright © Ryoichi Obitsu / Masanobu Kawakami 2008 printed in Japan

Original Japanese language edition published by HOUKEN Corp.

All rights reserved. No part of this book may be reproduced in any form without the written permission of the publisher.

Chinese translation rights arranged with HOUKEN Corp.

Tokyo through Nippon Shuppan Hanbai Inc.

图书在版编目（CIP）数据

糖尿病自我防治手册：彩图版／（日）带津良一，（日）川上正舒著；张军译.—沈阳：辽宁科学技术出版社，2009.11

ISBN 978-7-5381-6115-1

Ⅰ.糖…　Ⅱ.①带…②川…③张…　Ⅲ.糖尿病—防治—手册　Ⅳ.R587.1-62

中国版本图书馆CIP数据核字（2009）第165748号

策划制作：北京书锦缘咨询有限公司(www.booklink.com.cn)
总 策 划：陈　庆
策　　划：蒙明炬
版式设计：李新泉
封面设计：艾博堂文化

出版发行　辽宁科学技术出版社
　　　　　（地址：沈阳市和平区十一纬路29号　邮编：110003）
印 刷 者：北京地大彩印厂
经 销 者：各地新华书店
幅面尺寸：172mm×245mm
印　　张：12
字　　数：62千字
出版时间：2009年11月第1版
印刷时间：2009年11月第1次印刷
责任编辑：谨　严
责任校对：合　力

书　　号：ISBN 978-7-5381-6115-1
定　　价：35.00元

联系电话：024-23284376
邮购热线：024-23284502
E-mail：lnkjc@126.com
http：//www.lnkj.com.cn
本书网址：www.lnkj.cn/uri.sh/6115